Ein Kanu-Camp in Schweden. Hier arbeiten Aussteiger, Abenteuersuchende, Arbeitslose und Naturfreaks. Für einige Sommerwochen retten sie sich in eine kulturferne Landschaft. Auch Anja hat sich aus ihrem deutschen Kleinstadtalltag geflüchtet. Sie sucht Ruhe, doch sie wird überrascht von einer Leidenschaft: Eines Tages steht eine fremde junge Frau am See, legt Anja die Arme um den Hals und entführt sie in ein unbewohntes Haus. Sie gibt ihr den Namen ihres verlorenen Geliebten, des Schiffsjungen Schmoll. Doch der Zauber, die nachgeholte Unschuld dieser ersten Liebe, wird bald vergiftet durch den Argwohn und die Übergriffe der Campbewohner. Angst und Verstörung bedrohen nicht nur die Phantasien, sondern auch die Realität der beiden Frauen. Aus Aggression wird schließlich tödliche Gewalt.

Antje Rávic Strubel, 1974 geboren, studierte nach einer Buchhandelslehre Amerikanistik, Psychologie und Literaturwissenschaften in Potsdam und New York. Sie veröffentlichte die Romane ›Offene Blende‹, ›Unter Schnee‹, ›Fremd Gehen. Ein Nachtstück‹ sowie ›Tupolew 134‹. Für ihre Bücher erhielt sie zahlreiche Preise, darunter die Roswitha-Medaille der Stadt Gandersheim und den Förderpreis zum Bremer Literaturpreis. Das Hörspiel ›Kältere Schichten der Luft‹ wurde von der Deutschen Akademie der Darstellenden Künste im Dezember 2005 zum ›Hörspiel des Monats‹ gewählt. Der Roman war für den Preis der Leipziger Buchmesse 2007 nominiert und wurde mit dem Rheingau-Literatur-Preis sowie dem Hermann-Hesse-Preis ausgezeichnet.

Unsere Adresse im Internet: www.fischerverlage.de

Antje Rávic Strubel

Kältere Schichten der Luft

Roman

Fischer Taschenbuch Verlag

Veröffentlicht im Fischer Taschenbuch Verlag,
einem Unternehmen der S. Fischer Verlag GmbH,
Frankfurt am Main, September 2008

Lizenzausgabe mit freundlicher Genehmigung
der S. Fischer Verlag GmbH, Frankfurt am Main
© S. Fischer Verlag GmbH, Frankfurt am Main 2007
Druck und Bindung: CPI – Clausen & Bosse, Leck
Printed in Germany
ISBN 978-3-596-17819-3

I have always looked to thirty as the barrier
to any real or fierce delight in the passions.

Byron

Civilized society is insane.
The individual asserts himself in his disconnected
insanity in these two modes: money and love.

D. H. Lawrence

Vom Licht wußten sie alles.

Sie kannten es in jeder Schattierung. Sie hatten gesehen, wie es den Himmel brüchig und zerrissen erscheinen ließ oder blauschwarz gewachst. Sie wußten, wie das Licht unter anschäumenden Wolken aussah, wie es schräg einfiel am Fjäll, wie es die Felsen, hoch oben den Wald und am Seeufer das dichte Unterholz traf. Sie wußten, wie flüchtig, wie trügerisch es war. Erstrahlte der See eben noch türkis bis zum Grund, lag er im nächsten Moment schon stumpf und geschlossen da wie Asphalt. Sie hatten gesehen, wie das Licht bei Regen Kiefern und Brombeerbüsche matt erscheinen ließ, sie hatten gesehen, wie es morgens um vier auf vom Steinschlag verwüsteten Straßen und mittags auf dem kurzgeschnittenen Rasen schwedischer Vorgärten war. Sie kannten es in von Hitze flirrendem Gelb, im grünlichen Schimmer des Abends, sie konnten sagen, wie es über dem Dach des Geräteschuppens an verhangenen Tagen aussah.

Sie wußten, wie sich Gesichter verändern, wenn grell das Licht auf sie fällt. Wer morgens aus den Zelten kam und zur Waschstelle ging, mußte den Grasplatz überqueren, den sie aus dem Wald geschlagen hatten. Dort wurden die Gesichter stabil.

Sie wechselten vom milchigen Grau, der Farbe der Nacht, in eine herbe, geschliffene Bräune. Das wußten sie. Sie sahen es jeden Morgen.

Und später, wenn nur noch wenige Wolken am Himmel waren, bekam diese Bräune eine Schärfe, wie sie Gesichter nur hier, auf dieser Landspitze hatten. Es war brutal, wie die Sonne schien.

Keiner von ihnen hat über das Licht gesprochen.

Es gab andere Dinge zu bereden. Sie mußten sich um die Zeltwände kümmern, die im Sturm gerissen waren, die jetzt wie abgezogene Häute auf dem Rasen lagen und ausgebessert werden sollten. Sie hatten für Nachschub zu sorgen, für die Verpflegung, die jeden Sonnabend aus Berlin kam, sie telefonierten oft. Sie bestellten Kartoffeln und Kaffee nach, Grillkohle und Würstchen und Reis, und niemals vergaßen sie Obst, denn das Obst war in diesem Sommer in Schweden besonders teuer. Sie schickten die eintreffenden Jugendgruppen in festgelegter Reihenfolge auf die Seen, zuerst in den kleinen Stora Le und dann auf den windgepeitschten Foxen, sie gaben kopierte Outdoor-Kochbücher an die Teamer aus, damit die wußten, wie viele Bohnenbüchsen abends in die Chili-Pfanne kamen. Im Küchenzelt wurden Verpflegungstonnen für eine Woche gepackt.

Sie erklärten, wie man über offenem Feuer kocht, und gaben unten am Steg die Boote aus. Es waren schmale Kanus für zwei Personen aus hellgrauem Leichtmetall. Der Ghettoblaster lief den ganzen Tag.

Sie lebten wurzellos. Zeitenthoben. Sie waren in eine unbekannte Gegend gekommen, in ein anderes Land, in eine fremde Region, in der sie nur das waren, was sie den Sommer über hier jeden Tag machten; sie waren Kanu-Scouts, sie bauten Tipis, sammelten Beeren, sie brieten Lachse und schwammen im See. Für sie war es, als schlösse sich das jetzige Leben ihrem früheren nicht mehr an, ein paar Blessuren und abstrakte Betrachtungen ausgenommen. *Retrokacke*, wie jemand am Lagerfeuer sagte.

Es gab wenig Abwechslung. Jedes Gerücht bauschten sie auf. Und wenn die Gerüchte zu versiegen schienen, dachten sie sich neue aus, oder sie reicherten die alten mit neuen Fakten an, und es war unmöglich herauszufinden, was an diesem Gerede stimmte. Sie hatten sich daran gewöhnt. Niemand störte es, wenn Svenja, die Campchefin, über Ralf lästerte. Als er sich einen Jagdschein ausstellen ließ, sagte sie, sie sei sicher, er hätte in seinem Leben auch schon *Menschen vor der Knarre* gehabt. Man fragte sich allerdings hinter vorgehaltener Hand, *wie Ralf da mit einer wie Svenja überhaupt klarkommt.*

Sie lebten wurzellos, sie versuchten, das Beste daraus zu machen.

Eines Morgens lief ein Mädchen allein über den Strand.

Das Mädchen stieg zwischen den Booten durch, ihr Kleid wehte. Es war ein helles Kleid, niemand trug hier Kleider. Im Camp trugen sie Gore-tex-Sandalen und graue oder beige Funktionshosen mit Reißverschlüssen auf Höhe der Oberschenkel. Wenn es warm wurde, nahmen sie mit einem Griff die Hosenbeine ab.

Das Mädchen lief über den Steg, sie bewegte sich trunken. Sie lief, ohne innezuhalten oder das Kleid abzulegen, sie lief über die Kante des Stegs hinaus und stürzte ins Wasser.

Bei den Booten waren sie vom Klatschen des Körpers aufgeschreckt. Sie sahen hinüber. Der See war glatt. Dann tauchte das Mädchen neben einer Boje auf, ihr Haar klebte am Kopf. Sie schwamm langsam zurück. Die anderen verloren das Interesse. Sie kehrten zu ihren Plänen auf Klemmblöcken zurück und schrieben die Nummern der Boote auf, die heute rausgehen würden. Vor Monaten hatten sie festgelegt, daß das Baden an der Bootsanlegestelle verboten war. Jetzt taten sie, als ginge sie der Vorfall nichts an.

Das Mädchen stieg langsam an Land. Sie kam das Ufer hinauf. Das Wasser, das ihr übers Gesicht rann, schien sie nicht zu spüren.

In der Nähe der Kiefern blieb sie stehen.

»Schmoll«, sagte sie und wandte sich zu mir um. »Sie sind ein kluger Junge. Sie haben die ganze Zeit gut aufgepaßt.« Sie schaute nach rechts, wo die Badestelle lag, von Himbeerbüschen und Sanddorn nahezu verdeckt, und ich sah, daß sie kein Mädchen mehr war. »Sie können mir doch bestimmt sagen, wo hier Handtücher sind.«

Ich war zufällig in der Nähe, als sie ans Ufer kam. Ich war nicht bei den Booten, ich stand etwas abseits vom Steg, jetzt bewegte ich mich, als hätte ich stundenlang in derselben Haltung verharrt.

»Ich heiße nicht Schmoll«, sagte ich. »Und ich bin kein Junge.«

Sie legte den Kopf zur Seite, um mich zu betrachten. Ihre Brauen waren dunkel vom Wasser in einem sehr blassen Gesicht.

»Handtücher sind bei der Ausrüstung nicht vorgesehen«, sagte ich.

Der See war ruhig an diesem Morgen, weiter draußen trieben Seevögel. Graureiher. Schwäne. Die anderen mußten inzwischen mit den Booten fertig sein. Als ich gehen wollte, versperrte sie mir den Weg.

»Ich will nur was nachgucken«, sagte sie und kam näher. Ihre Haut war weiß. Ein Weiß, das an leuchtendes, glattgeschliffenes Holz erinnerte, wie man es manchmal an Wildstränden fand. Ihre Zehen streiften kurz über den Sand. Sie wollte meinen nackten Fuß berühren, verfehlte ihn aber und strauchelte.

Sie wäre gefallen, hätte ich sie nicht gehalten.

Sie legte mir die Arme um den Hals. Ich roch ihre nassen Haare.

Es war früher Morgen, der Sand war noch kühl, die Schatten fielen lang. Gegen Mittag würde es heiß werden, bis dahin mußten alle Boote umgekippt und verzeichnet sein, niemand wollte unten am baumlosen Strand bleiben in der Hitze, die von den glitzernden Aluminiumbäuchen der Boote doppelt zurückgeworfen wurde.

Wir standen wie auf einer Werbetafel am Bahnhof Zoo. Auf einem dieser Hochglanzbilder. Anschmiegsame Mädchen, klein, in kräftige Schultern gekuschelt, und selbstsichere Jungs. Jungs, die auf ihr Mädchen und den Ku'damm hinuntersahen. Wir waren in dieses Bild eingepaßt.

»Alles in Ordnung?« sagte ich.

Sie preßte sich an mich. Für die anderen bei den Booten mußte es aussehen, als wolle ich ihr das Kleid abstreifen, den Stoff langsam über die Oberschenkel hochschieben, die Vorstellung mußte entstehen, wie nackt sie dann wäre, ihre Hüfte, ihr Hintern, wie ich sie halten würde im Sand, am Ufer, dort, wo die Badestelle war, hinter den Büschen verborgen.

Ihr Körper pulsierte, die Haut unter der Nässe war glühend.

»Sehen Sie«, sagte sie mir ins Ohr. »Ich habe Sie endlich gefunden. Ich wußte es.«

Gleich darauf ließ sie mich los. Sie holte ihr Handtuch, das bei den Kiefern lag, und lief über den Sand in Richtung Straße. Sie lief schnell, sie drehte sich nicht um. Ihre Beine waren schlaksig unter dem Kleid, das ein Kinderkleid war, eines für sehr junge Mädchen. Ich war nicht sicher. Ich sah ihr nach, und als niemand bei den Booten auf sie achtete, rief ich: »Hey! Wollen Sie sich nicht erst mal umziehen und dann mit uns frühstücken? Es gibt Brötchen!«

Sie reagierte nicht, sie erreichte die Straße. Trotz ihres nassen Kleides wandte sie sich unbekümmert nach links, wo die Straße eine Biegung machte.

Ich ging hinüber zu den anderen. Sie zogen ein paar Boote aus dem Wasser und kippten sie bauchoben auf den Strand. Langsam wurde es wärmer.

Später, im Waschraum, sah ich in den Spiegel. Ich trug Jeans und eine helle Bluse, unisex, wie es bei Outdoor-Kleidung üblich war. Ich war kräftig und schlank, ich war braun wie alle, meine Haare hatten diesen strohigen, verwaschenen Schliff vom Schwimmen im See, ich lebte seit vier Wochen draußen. Die Narbe an der Augenbraue war das einzige, was mich von den anderen unterschied.

Ich ging wieder hinaus in die Sonne, wo sie mit Hobeln beschäftigt waren. Sie hatten vor, ein Tipi zu bauen aus schlanken, geraden Stämmen, und kamen gut voran. Die Rinde gab in weichen, langen Spänen nach, sie wußten, wie man mit leichtem Druck die oberen Schichten entfernt, ohne das Holz zu verletzen. Sie hatten das schon oft gemacht. Zwei meterhohe Tipis standen fertig mit Zelthaut umschlungen am Waldrand im Gras.

Ich machte ein bißchen mit. Ich fing oben bei den

Spitzen an. Heimlich beobachtete ich die Männer und fand, daß nichts an ihnen mir glich.

Gegen Mittag kam der Verpflegungsnachschub an, ein Kleinlastwagen drehte hupend eine Runde durchs Camp. Der übermüdete Fahrer parkte auf den ausgefahrenen Spuren, die von der Straße zum Grasplatz führten. Er war in der Nacht in Berlin aufgebrochen, jetzt verlangte er mit fiebrigen Augen ein Bett.

Hey, Marco, wo sind die Listen? Und die Grillkohle? Haben die Idioten in Berlin das wieder vergessen? Grillen steht bei den Kids im Programm, warum kapiert das keiner?

Das kapiert keiner, weil das keinen interessiert. Das sind Kids, verstehste, die machen nicht gleich 'n Lageraufstand, wenn se nicht haargenau das kriegen, wofür ihre Alten bezahlt haben.

Arschlöcher.

Guckt mal hinterm Beifahrersitz nach, selber Arschlöcher.

Marco zwängte sich unter den Wäscheleinen durch und verschwand im Haus. Das Haus war nur ein Schuppen aus dünnen Holzbrettern, der mit drei Fenstern versehen worden war, man hörte jedes Geräusch.

Jetzt macht nicht so 'n Streß, Leute, rief Marco aus dem unteren Fenster. *Wir müssen doch zusammenhalten, wo wir schon hier gelandet sind.*

Keiner nickte. Hätten sie genickt, hätten sie zugegeben, daß sie hier gestrandet waren, und das wäre einer Kapitulation gleichgekommen, dem Eingeständnis, daß dieser Zustand dauerhaft sein würde.

Draußen begannen sie, Kisten auszuladen, sie schleppten sie hinüber ins Küchenzelt, in dem Svenja mit dem Vorbereiten der blauen Tonnen beschäftigt war. Riesige

Käseballen wurden halbiert, die Hälften kamen in je eine Tonne zusammen mit Salamis und Büchsenbohnen und Brot. In den Tonnen würden die Lebensmittel vor Feuchtigkeit geschützt sein, wenn die Jugendgruppen sie später mit auf ihre Kanu-Touren nahmen.

Freitagmittag trafen sich alle im Küchenzelt. Vielleicht war es die Sehnsucht nach frischem Obst, die sie hertrieb. Das Essen wurde gegen Ende der Woche eintönig. Oder es lag am Geruch, der in den gepackten Tonnen entstand, es roch nach Gemüse, Butter und Speck und ein bißchen nach Plastik. Der Geruch war die einzige Erinnerung daran, wie es draußen, unterwegs auf den Seen, war, wo sie lieber gewesen wären. Aber das Camp war unterbesetzt, und sie waren zu wenige, um dem Ansturm der wöchentlichen Busladungen gewachsen zu sein, oft brannten die Lichter die ganze Nacht.

Als ich aufstand, um hinauszugehen und mir mit dem Wasserschlauch Schweiß und Schmutz vom Gesicht zu spülen, sah ich die Frau auf der anderen Seite des Zufahrtsweges. Sie saß mit dem Rücken an eine Kiefer gelehnt. Die Beine hatte sie angewinkelt, den Kopf zur Seite geneigt, ihr Gesicht lag im Schatten. Sie hatte sich umgezogen. Sie trug jetzt ein blaues Kleid. Reglos saß sie am Baum. Ihre Arme hingen herab. Die rechte Hand war leicht in meine Richtung geöffnet, als wollte sie etwas präsentieren, als böte sie mir das Gras und die Erde und die Kiefernwurzeln an. Die Augen schien sie geschlossen zu haben. Jedenfalls reagierte sie nicht, obwohl ich lange zu ihr hinsah.

Ich dachte an die Heftigkeit, mit der sie mich am Ufer an sich gedrückt hatte. An ihren glühenden Körper. An das Weiß ihrer Haut, das zu dieser Glut in seltsamem Widerspruch stand. Ich dachte an meine idiotische Antwort und daß sie wahrscheinlich zurückweichen würde, wenn ich jetzt hinüberginge und sie unvermittelt berührte. Sie würde hochschrecken, sobald sie mich spürte, und die Augen öffnen, die mir am Ufer ruhelos vorgekommen waren und tragisch. Vielleicht war dieser Eindruck auch nur durch das Licht entstanden. Grüne Punkte lagerten in einer Iris von ansonsten klarem Braun.

Ralf war mir nachgelaufen. Er nahm mir den Gartenschlauch ab und tauchte sein Gesicht in den Strahl. »Ganz schön hektisch heute die Chose, was?« Das Wasser rann ihm ins Hemd. »Paß mal auf. Ich helf dir beim Verteilen der Schwimmwesten. Da kannste zwischendurch auch mal 'ne Pause machen.«

»Ist schon in Ordnung, ich komm klar. Wirklich.«

»Jeder die Hälfte«, sagte Ralf. »Wir sind doch ein Team, oder nicht.« Er legte seinen Arm um mich, packte meine Schulter und zog mich fest zu sich heran. Dann sah er zum Wald. »Wer ist das?«

»Wer?«

»Glotzt die, oder was. Ich werd ihr mal sagen, das ist *privat*, hier gibt's nichts zu glotzen.«

»Jetzt geht's los!« rief Wilfried. »Die ersten sehen schon Gespenster, das kommt davon, wenn man wochenlang nur dieses beschissene Armeebrot zu fressen kriegt.«

»Mensch, Ralle!« Svenja stand in ihren Halbstiefeln aus Gummi am Eingang vom Küchenzelt. »Hier laufen öfter kaputte Gestalten rum. Als ich mit einer Gruppe draußen auf der Vierzig war –«

»Vierzig? Können wir die Rastplätze nicht mit ihren richtigen Namen nennen? Da hat sich doch jemand

Mühe gemacht«, sagte Sabine, die Halbindianerin, jedenfalls wurde sie so genannt, nachdem herausgekommen war, daß sie ein paar Monate mit einer Schamanin auf dem Land in der Nähe von Detroit verbracht hatte. Sie trug Kordhosen, deren Farbe wegen der vielen Moos- und Grasflecken nicht mehr zu erkennen war. »Die Vierzig ist auf Trollön, Sabine, du bist die einzige, die sich das nicht merken kann, und zwar oben auf dem Monsterfelsen, wo die Kids ganz scharf drauf sind, Köpper zu machen. Neulich taucht so ein Typ am gegenüberliegenden Ufer auf, direkt aus dem Wald. Der steht da, nur in Badehose und Schwimmweste, und fängt wie blöd an zu winken. Vielleicht braucht er Hilfe. Also lass' ich die Gruppe warten und fahr rüber, und was macht der? Fragt mich, welcher Wochentag heute ist. Hatte wahrscheinlich Wasser in seine Festplatte gekriegt.« Svenja drehte sich um. »Seinen Namen hat er wahrscheinlich auch schon nicht mehr gewußt, Sabine.«

»Dann numerier ihn doch.« Sabine warf eine Salami quer durch das Zelt, zielgenau, die Salami krachte in eine Tonne. Als ich zum Waldrand sah, war die Frau verschwunden.

An den Nachmittagen war das Licht lange sehr weiß, es hing in den Kiefern, bis es am höchsten Punkt der Wipfel in das herbe Rot des Abends einging, unten bei den Zelten war es schon dunkel.

Nirgends wurde es so dunkel wie auf dem Grasplatz im Camp. Nirgends war es abends so kalt. Ich rollte zwei Matten neben der Feuerstelle im Tipi aus, ich legte sie übereinander, die Steine knirschten. Nachts war es zu dunkel, um ohne Taschenlampe schlafen zu gehen. Ich machte den Schlafsack bis oben zu. Ich konnte nicht einschlafen in dieser Nacht. Ich hörte Tiere schreien, vielleicht Elche. Sie sagten, man würde nachts manchmal sogar hier auf dem Platz Elche sehen. Sie kannten das aus vergangenen Jahren. Sie hatten sich auf eine Anzeige beworben, die Uwe, der Chef dieses Unternehmens, jedes Jahr im Mai inserierte.

Weg mit alten Hüten! Raus aus der eigenen Haut!
Lust auf was Neues?
Dann auf in die Wildnis! Die Natur stellt keine Fragen.
Engagierte Leute für Jugendcamp in Värmland,
einem der schönsten Seengebiete Schwedens, gesucht!

Bevor ich darauf geantwortet hatte, hatte ich gezögert. Etwas an diesem Text gefiel mir nicht. Etwas darin klang wie eine Unterstellung, er schien vorauszusetzen, daß die, die sich bewarben, Dinge zu verbergen oder zu vergessen hätten. Ich fing wieder an, darüber nachzudenken, *die Natur stellt keine Fragen*, aber da ich so nie würde einschlafen können, beschloß ich, darin weiterhin nur die Begeisterung für die schwedischen Wälder zu sehen.

Ich drehte mich auf den Bauch. Ich benutzte meine Hand, um leichter zu werden und dann vielleicht doch einzuschlafen.

Ich sah feste Schultern unter einem Muskelshirt, das Abstreifen einer Hose, spärlich bekleidete Körper, manchmal hörte ich Sätze. Ich stellte mir nie Frauen vor, mit denen ich zusammengewesen war. Seit meinem sechzehnten Lebensjahr hatten sie einander abgelöst. Jede war die logische Folge aus dem, was vorangegangen war, ihr Widerstand war das einzige, worin sie sich ähnelten.

17

Ich war mit zwei jüngeren Brüdern groß geworden. Ich hatte sie im Kinderwagen um die Ecken geschoben und auf die windigen Wäscheplätze hinter dem Haus. Ich hatte mit ihnen gebadet, auf Bäumen gesessen, unter Balkons Buden gebaut, und später hatte ich ihre Spiele unter der Decke gesehen, wir teilten uns ein Kinderzimmer zu dritt, ein Doppelstockbett und eine schmale Matratze. Ich konnte mir alles erlauben, sie erlaubten sich alles mit mir. Sie waren mir so vertraut wie ich selbst, so vorhersehbar. Durch ihre Nähe kam mir gar nichts anderes in den Sinn, als Frauen zu lieben.

Es waren Frauen, die zögerlich waren, die nichts von mir wollten. Sie sagten mir anfangs, ich wäre zu jung. Sie sagten, sie könnten mir nicht vertrauen, sie lebten unter dem inneren Zwang, sich nicht festzulegen, oder sie hielten grundsätzlich nichts von Liebe. Ich lernte, hartnäckig zu sein, ohne mich zu erniedrigen. Nicht betteln, sondern provozieren, das war die Vorgehensweise. Und immer hielt ich Distanz, in der Distanz kam mir alles aufregend und gefährlich vor. Irgendwann willigten sie dann auf eine Weise ein, die ich kannte, eine Heftigkeit, der ich mich ziemlich schnell wieder entzog. Ich blieb allein. Und ich hörte es gern, wenn jemand sagte, daß das in meinem Alter in der heutigen Zeit ein normaler Zustand wäre.

Die anderen waren schon das dritte oder vierte Jahr im Camp. Einige hatten studiert und dann keinen Job gefunden, anderen war gekündigt worden, und alle waren froh über den Einsatz in Schweden, der ihnen über den Sommer half, auch wenn sie lächerlich wenig verdienten. Meistens kamen sie schon im Mai, um Schuppen und

Boote zu reparieren oder neue Klohäuschen zu bauen. Jedes Jahr wurde irgend etwas besser. Anfangs waren sie noch in den See gegangen, um sich zu waschen, später gab es Duschanlagen, das Wasser wurde in langen Schläuchen aus dem See gepumpt. In diesem Jahr hatten sie ein Duschhaus für das Team mit Warmwasseranschluß gebaut. Es war ein ehemaliger Rummelwagen, der nicht mehr auf Rädern, sondern auf Holzpflöcken stand und mit Spinden, Spiegelschrank und Plastikduschwanne ausgestattet war. Vor dem winzigen Fenster hing eine hellblau geblümte Gardine.

An diesem Vormittag kam Svenja herein, als ich unter der Dusche stand. Ich erkannte sie an ihrem festen, eiligen Schritt, an dem Quietschen der Gummisohlen. Mit den Fingernägeln schlug sie gegen den Duschvorhang. »Und wie sieht's aus? Sind ausreichend Paddel für alle Kids da?« Sie schob den Vorhang zurück, der Dampf hüllte sie ein. »Du machst ja hier vielleicht 'n Klima!«

»Die Hälfte kannst du wegschmeißen. Die sehen aus, als hätte jemand sie ordentlich gegen die Felsen gehauen.«

»Wegschmeißen, bist du irre? Uwe tobt. Der denkt sowieso, wir würden ihm sein Material klauen, *das ist kein Volkseigentum mehr, ihr Penner*, da kann nicht auf einmal die Hälfte der Paddel fehlen!«

»Die Holme sind gerissen, da ziehst du dir Splitter ein.«

»Bist du wieder vornehm! Du kannst sie doch mit Paketband umwickeln.« Das Gerüst der Duschkabine wankte, ein Sonderangebot von ›Metro‹; ich steckte den Plastikschlauch zurück in die Halterung.

»Übrigens bin *ich* nicht mit Paketband umwickelt.«

»Ach.« Svenja war blaß, überarbeitet. Sie sah mich von oben bis unten an und grinste, und mir fiel auf, wie versifft die Duschkabine war. Niemand hatte Lust, hier zu wischen. »Ich muß doch wissen, wie meine Angestellten gebaut sind.«

»Ich erinnere mich da an einen wortgewaltigen Typen in fleckigen Jeans, der mir in einem Berliner Büro die Rechte und Pflichten innerhalb der Gruppe anschaulich erörtert hat, damit ich die Voraussetzungen für ein beglückendes Gemeinschaftsleben fröhlich erfüllen kann«, sagte ich. »Er hat mich die Freuden eines harmonischen Verhältnisses mit der Natur gelehrt, und wenn ich ihn richtig verstanden habe, ist mit Natur vor allem die Gegend gemeint, nicht mein nackter Arsch. Aber mach dir nichts draus, ich habe es auch nicht sofort verstanden.«

Sie riß den Mund auf, schluckte, kam dann dicht an mich heran. »Paß bloß auf, Baby, sonst kannst du gleich Kartoffeln schälen, und zwar für hundert Leute! Gleich kommen die Busse, also mach ein bißchen hin.« Sie klatschte mit der Hand an die Kabinenwand. »Hast du den Ball schon gesehen? Hat Marco wahrscheinlich aus Berlin mitgebracht. 'n schicker runder Fußball. Das ist doch was für dich, oder? 'n bißchen rumkicken.« Sie lächelte mich unschuldig an. »Da seid ihr doch scharf drauf. Ihr Mädels. Ist das nicht genetisch?«

»Paß bloß auf«, sagte ich, »daß niemand mit dir rumkickt!«

Wegen der Jugendlichen mußte das Duschhaus auch am Wochenende abgeschlossen sein, das Prinzip dieses Ferienlagers war *Wildniserfahrung mit null Komfort*. Ein Motto, das Uwe jedes Jahr Umsatzzuwachs verschaffte.

Die Busse kamen, während ich noch unter der Dusche

stand. Es wurde still draußen, die anderen waren auf dem krummen, huckligen Weg, den sie durch das Wäldchen geschlagen hatten, zum Busparkplatz gelaufen, der abseits hinter den Zelten der Dauercamper lag. Ralf würde eine kurze Begrüßungsrede halten. Nach dem Mittagessen würden die Jugendlichen in kleinen Gruppen auf Abenteuertour hinaus auf die Seen fahren, und nur das Team bliebe im Camp zurück.

Ich trocknete mich ab. Ich hörte Wind und Vogelgeräusche und das Summen des Durchlauferhitzers an der Wand. Sonnabendmittag, wenn die Busse kamen, war der einzige Moment, in dem der Ghettoblaster nicht lief.

Meistens rückten drei Doppeldecker an. Sie schwankten hintereinander durch hochstehendes Gras, der Weg war brüchig, Himbeerbüsche streiften die Radkappen. Sie kreuzten das Feld, sie fuhren im Schritttempo mit Aufblendlicht. In dieser geregelten Landschaft, in dieser für Camper, Paddler, Fahrradtouristen und Wanderer auf natürlich getrimmten Gegend wirkten sie roh, wie Urtiere aus einer anderen Zeit, klotzig standen sie vor dem Wald und stanken.

Als ich aus der Dusche kam, war das Camp leer. Über dem Grasplatz hing ein dünnes, grünliches Licht.

Der Ball lag neben dem Grill im Schatten unter einem Ginster. Ich ging hinüber, er war prall gepumpt, nicht billig, das Leder war in festen Nähten zu Vierecken verschnürt, ich kickte ihn hoch; ich fand mein Leben, seit ich hier jobbte, ruhiger, vielleicht sogar interessant.

Ich war raus aus Halberstadt, raus aus dem niederdrückenden Kneipen-Horizont, der aufgehellten Gotik und den paar grell übermalten Neubaublocks, raus aus den Doppelhaushälften und einer Antragsbürokratie, in der immer jemand fragte, was ich machte und wer ich war, raus aus dem ganzen Abriß. Und wer war ich denn schon: weggezogen von zu Hause, ein Fernstudium nicht abgeschlossen, als Beleuchterin an einer heruntergekommenen Bühne andere ins Licht gesetzt. Ich hatte ein paar Artikel geschrieben, ein paarmal im Lokalblatt den Mund aufgemacht, was wirkungslos geblieben war, jedenfalls waren die Glatzmänner, wie meine Brüder das nannten, danach nicht von den Straßen verschwunden.

Meine Brüder waren an mir vorbeigezogen. Sie machten Vertreterjobs, der eine fuhr zusätzlich nachts Zeitungen aus. Ich beneidete sie nicht und wußte doch, daß meine Flucht in ihren Augen ein Versagen war.

Ich mochte es hier. Ich mochte die Konzentration. Die Ruhe, die über dem Grasplatz lag, in der ich keine Anstrengung spürte, obwohl ich arbeiten mußte und der Ton ruppig war.

Ich mochte diesen Sommer in Schweden. Diese mit Holz- und Erdgerüchen aufgeladene Luft. Ich mochte den flach gestreckten Himmel, der entlang einer gezackten Linie auf den Baumspitzen am Wald auflag. Ich mochte die harschen, abrupten Schatten, in die man tauchte, wenn man eine der tannengesäumten Straßen nahm. Von fern wirkte der Asphalt wie rötlicher Samt. Ich mochte die Stille über den Orten und die Gelassenheit. Die Menschen schienen ausgeruht, als trieben sie selbstvergessen mit den Tagen dahin, und sie besaßen doch jene Aufmerksamkeit, die entstehen kann, wenn man großzügig etwas Kostbares verbraucht. Ende August war hier der Sommer vorbei. Bis zur Monatsmitte würde es abends noch länger hell sein als in Halberstadt.

Es dunkelte dezent an den Rändern. Aber das täuschte niemanden über die bevorstehende, rapide Veränderung in den nächsten Wochen hinweg, über diesen Sturz der Nachmittage in die Nacht.

Nur manchmal, wenn es so still wurde, daß das Licht sich an der Stille zu entzünden schien, war es, als ob ein Schwelbrand alles versengte. Es gab Bewußtlose in greller Sonne. Rote überhitzte Gesichter nach zuviel Bier. Schlaffe Körper auf Kinderspielplätzen. Zusammengesunkene vor Kiosks, im Park.

Man pöbelte nicht. Es gab keine Gewalt. Die Menschen knickten lautlos weg. Sie strauchelten auf dem Heimweg, sie torkelten, sie schlugen hin, sie prallten gegen Lastwagen, sie fielen vom Rad. Seltsame Unglücksfälle traten im Sommer häufig auf; man hing im Elektrozaun, man fuhr sich ein Rasenmähermesser ins Bein, die Kette schnellte von einer Motorsäge und zerschlug ein Gesicht, immer wieder kippte jemand betrunken in den See und ertrank.

Hier fing ich an, Halberstadt zu vergessen, die Glatzen, die frischverglasten Fassaden, die Arbeitsagentur. Die Stimmung, in der ich mich befand, hatte mit Gleichmut zu tun. Mit einer inneren Ruhe, die von außen vielleicht wie Langeweile aussah. Aber das war es nicht. Ich träumte nicht mehr von der Angst, nicht gut genug zu sein. Ich träumte jetzt wieder vom Fliegen, und ich wünschte, meine Brüder würden mich sehen.

Hier vergaß ich das ›Vienna‹ und seine weißen Plastiktürgriffe und modern gezackten Lampen und das auf alt gemachte Ölbild an der Wand. Mit dem Ölbild verblaßte auch die Erinnerung an den exakten Pony, den V-Ausschnitt und das rosenbedruckte Shirt jener Frau, die mich nur traf, wenn sie gerade wieder von einem ihrer ständig wechselnden Männer verlassen worden war. Dann ließ sie mich allein in ihrer Küche sitzen und schlief neben-an, von Weinkrämpfen erschöpft, auf einem schmalen Ausklappbett. Später flüchtete ich mich in One-Night-Stands. Ich fuhr nach Berlin. Aber jedesmal wurden die Frauen, die mir beim Tanzen so aufregend erschienen waren, schon auf dem Weg in die Wohnung zu Schemen, zu Platzhaltern in einem Programm, an dem ich jedes Interesse verlor. Sie waren schön, solange sie tanzten, so-lange es zwischen ihnen und mir einen Widerstand gab. Mittlerweile war ich dreißig und beendete das Ganze je-desmal noch an der Bar.

Hier fielen die Schatten lang. Hier vergaß ich auch die Panik, die entstanden war, als ich niemanden mehr hatte sagen hören, dieser Zustand wäre in meinem Alter nor-mal.

Die Busse brachten zweihundertfünfzig neue Jugend-liche, fünfzig mehr als im Durchgang davor. Das Büro in Berlin, *diese Arschlöcher*, hatte eine Tour zweimal ver-kauft, wie am Nachmittag im Camp zu hören war. Das Essen würde knapp, es gab nicht genug Zelte, und aus Berlin wurde gemeldet, sie hätten die Nase voll von der Meckerei, sie beantworteten jetzt keine E-Mails mehr, *diese Arschlöcher*, wie Ralf, als er ins Materiallager kam, mehrmals nachdrücklich sagte.

»Die verarschen uns doch, die Kollegen in ihrem Hauptstadtbüro! Wenn die Dinger nicht reichen, pad-deln die Kids mit den Händen, oder wie?«

Er tauchte unter den Schwimmwesten durch, die an der Seite des Schuppens der Größe nach auf einer Leine hingen. In seinen ausgefransten Hosen und dem orange-farbenen Teamershirt sah er jung aus, ungelenk.

»Aber mach dich nicht fertig, wir kriegen das gere-gelt. Hey, da steht ja noch 'ne ganze Batterie!« Das Tea-mershirt war an Sonnabenden Vorschrift. Ralf war der einzige, der es gern trug, alle anderen wickelten es sich um die Hüften. Sie fanden die Vorschrift lästig, aber Ralf sah etwas Besonderes darin. Für ihn hatte es mit glei-chen Voraussetzungen zu tun, unter denen es erst mög-lich war, sich voneinander zu unterscheiden. Er mochte es, die Jugendlichen an den Bussen gemeinsam mit den anderen als orange leuchtende Gruppe zu empfangen.

Ohne sein schlottriges Shirt, hatte Svenja gesagt, *wäre das 'n echter Adonis.*

Er schlängelte sich an den Regalen mit wasserdichten Packsäcken und Weithalsflaschen vorbei in den hinteren Teil des Schuppens.

»Die Paddel da sind Schrott«, sagte ich. »Die habe ich aussortiert wegen der Splittergefahr.«

»Da machen wir ordentlich Pflaster drauf, und dann läuft die Chose. Und die Plastikpaddel? Wo hast 'n die? Nichts gegen stilecht, aber wir lassen uns doch nicht ver-sklaven!« Er packte die Paddel zu einem Bündel, das er sich auf die Schulter schwang, und versuchte, nach vorn durchzustoßen.

»Brauchen wir nicht zusätzliche Scouts? Wer geht denn jetzt mit raus?«

»Na, du nicht!« sagte Ralf, ein paar Schwimmwesten fielen herunter. »Du wirst hier gebraucht, ist ja wohl klar. Ich würde dich auch nicht gern mit zehn pubertierenden Jungs draußen aufm See sehen. Oder was hat Svenja ge-sagt.«

Immer wenn er versuchte, freundlich zu sein, traten seine Kiefermuskeln schroff aus den Wangen hervor. Als wiederholte er nur eine Geste, die er bei anderen sah.

Er lief mit den Paddeln in Richtung Ufer.

Uns hatte es alle aus ähnlichen Gründen hier angespült. Marco war von Osteuropäern auf dem Bau ersetzt worden; Sabine wurde als Landwirtschaftsökonomin nicht mehr gebraucht, das Schweinefutter berechnete jetzt eine Maschine. Und nur bei Svenja und Wilfried, dem mit Abstand Ältesten, hätte man sagen können, daß der Abstieg nicht eine Folge der Wende war; Svenja hatte über ihren Demos gegen BAföG-Kürzung und Studiengebühren irgendwann den Anschluß verpaßt, und Wilfried war von einer Kölner Computerfirma, die Personal sparen wollte, in die Frührente entlassen worden. Trotzdem gaben alle vor, Teil eines besonderen Einsatzes zu sein. Und jeder, der neu ins Camp kam, wurde sofort in diese Vorgabe eingebunden.

Man tat so, als ginge hier Außergewöhnliches vor, als spielte man eine besondere Rolle, als wäre man beteiligt an irgend etwas, das morgen anfing, auch wenn niemand wußte, wann morgen war. Abends am Lagerfeuer, wo der Code irgendwie gelockert war, redeten sie am liebsten vom Glück. Davon, Glück zu haben.

Beispielsweise hatten sie Glück, jetzt nicht in China zu sein. Oder in einem Kriegsgebiet. Oder im Hungerstreik. Sie hatten Glück, nicht ein Dritte-Welt-Kind zu sein oder ein behindertes Kind oder überhaupt noch ein Kind. Sie hatten Glück mit dem Team, mit dem Wetter, sie waren gesund, sie hatten insgesamt einfach Glück gehabt.

Sie redeten besonders dann vom Glück, wenn tagsüber viel mißlungen war. Sie machten Witze, sie lachten sich tot, und sekundenlang, während sie die Glut tanzen sahen, glaubten sie sogar daran.

Auch ich glaubte daran.

Nur Ralf machte nicht mit. Er erzählte keine Witze. Nie lag er auf dem Rücken im Gras, nie starrte er den Sternenhimmel an oder drehte eine Tüte, er lachte selten, und er redete nicht vom Glück. Er klemmte seine Beine unter die Bank vor dem Küchenzelt und saß grübelnd vor einer Postkarte. Niemand wußte, an wen er schrieb. Es hieß, er würde Monchichis sammeln, kleine Plüschtiere mit Plastikperlen im Kopf, die er liebevoll auf einem Bord über dem Bett aufreihte, ich hielt das für ein Gerücht.

Ich hielt es für ein Gerücht, weil er mir sympathisch war, nicht auf eine einfache Art, nicht wie jemand, mit dem man Kaffee trinken geht und sich über die ostdeutsche Lage oder neueste Filme unterhält. Er sperrte sich. Er war schroff, er war kantig, er ließ wenig an sich heran. *Wir werden die Sache schon schaukeln.* Das war seine Herangehensweise. Ich hätte ihn gern zum Kumpel gehabt. So, wie meine Brüder früher Kumpels hatten. Mit ihnen hatten sie, als sie älter wurden, fast alles gemacht, und mit Ralf war das manchmal auch vorstellbar. Er war nicht freundlich. Aber man hatte das Gefühl, mit ihm auf der sicheren Seite zu sein.

Wir haben Schwein, daß eine wie Svenja hier die Campchefin macht, hatte Sabine eines Nachts überraschend gesagt, *wenn du weißt, was ich meine.*

Ich wußte es nicht, und Sabine hatte mich übertrieben erstaunt angesehen.

Am späten Nachmittag waren die meisten der Jugendlichen mit den Kanus unterwegs. In der Ferne trieben noch ein paar ihrer Boote, leuchtende Käfer vor einem steil aufragenden Horizont.

Das Licht lag jetzt schimmernd auf dem Wellblechdach. Auch das kannten die anderen vom letzten Jahr. Sie hatten das Licht in allen Stufen der Auflösung gesehen. Sie kannten die Hitze in diesem Licht und das Blau, das manchmal auf dem See lag wie vom Himmel heruntergebrochen, und sie hatten gelernt, es vom Gewitterblau zu unterscheiden.

Abends wartete Ralf auf Marco und mich. Wenn alles getan war, gingen wir schwimmen. Manchmal trugen Marco und Ralf Tauchwettkämpfe aus, bei denen sich herausstellte, daß Marco im Luftanhalten besser war. Meistens blieb für den Wettkampf nicht genug Zeit, und wir rannten das Stück zum See, hechteten kopfüber ins Wasser und waren nach einer Viertelstunde zurück im Camp.

An einem der nächsten Tage war sie wieder aufgetaucht, diese Frau, an die ich zwischendurch nicht mehr gedacht, die ich schon fast vergessen hatte.

Es war windig. Sie stand neben dem Holzlagerplatz und fragte einen der Jugendlichen nach Schmoll. Sie fragte unnötig laut, und ich ließ die restlichen Paddel unsortiert stehen. Ich lief schnell aus dem Schuppen und winkte ihr zu, um zu verhindern, daß das ganze Camp sie hörte.

»Meine Lieblingsjahreszeit«, sagte sie, als sie näherkam. »Frühling.«

»Es ist Juli.«

»Abends und morgens ist es Frühling, weil es nördlicher ist.« Sie nickte nachdenklich.

»Und schön ist es hier«, sagte sie dann. »Der See, diese Luft, die Sonne, ich dachte, daß es hier viele Mücken gibt, aber nichts, gucken Sie, meine Arme, die Beine, nicht ein Stich.«

»Das ist ein Klischee. Das mit den Mücken haben schwedische Politiker in die Welt gesetzt, weil sie nicht wollen, daß ihr Land überfremdet. Sie können froh sein, daß Sie nicht nach Finnland gefahren sind.«

»Finnland«, sagte sie. »Was soll ich denn in Finnland?«

»Paddeln, arbeiten, dasselbe, was Sie hier machen. Da werden dreißig Mückenschwärme pro Kopf gezählt.«

»Finnland liegt zu nördlich, um frühlingshaft zu sein«, stellte sie fest.

»Sollen wir was trinken? Es ist zwar noch früh, aber ich mach Schluß für heute, und wir trinken was.«

»Ich habe gar keinen Durst.«

»Das macht nichts«, sagte ich. »Ich biete Ihnen auch nur etwas an, um Zeit zu gewinnen, damit Sie mich währenddessen darüber aufklären können, mit wem ich verwechselt werde.«

»Sie glauben, ich würde Sie verwechseln?«

»Nicht, wenn *Sie* jedem zweiten um den Hals fallen.«

Sie lachte, ein helles Lachen.

»Sind Sie mit den anderen gekommen?«

»Die anderen? Welche anderen?«

»Na, Sabine, die Halbindianerin, Wilfried, Ralf –«

»Ich glaube nicht«, sagte sie. »Ist das wichtig?«

Wir gingen hinüber zum Grasplatz, das Licht war blaß, es würde bald regnen.

»Sie sind nicht mit dem Kleinbus gekommen?« Sie hatte hochhackige geschnürte Ledersandalen an, über die sicher schon geredet wurde. »Mit dem kommen die meisten Nachzügler.«

»Das ist doch nicht wichtig!«

»Na gut. Aber wo wir schon Beckenkontakt hatten, könnten wir uns wenigstens duzen. Oder ist das auch nicht wichtig?«

»Doch.« Sie lachte. »Machen Sie das, wenn Sie wollen, ich mag Sie. Ich mag Ihre Stimme, wußten Sie das, und Ihre Stirn, und ich mag, wie Sie vor mir stehen, Sie haben zum Beispiel nie die Hände in den Taschen, und Sie sehen jeden an und stellen ständig Fragen, und Sie sind so spillerig, das mag ich auch, und wie Sie mir am Ufer zugesehen haben. Aber ich duze Sie nicht.«

Ich hatte mit einer Hand in der Hosentasche dagestanden und zog sie jetzt so unauffällig wie möglich heraus. Sie redete weiter, sie redete schnell und ununterbrochen, daß es hier zu wenig Blumen gäbe, keine Himmelsschlüsselchen, keinen Rhododendron, nur kurzgeschnittenes Gras, sie verschluckte sich, und warum man die Wiese nicht einfach wachsen ließe. Sie strich sich das Haar aus dem Gesicht, sie berührte meinen Arm. An ihrem Handgelenk trat der Knochen hervor.

Und dann sagte sie etwas wie: »Sie sind doch Schmoll« oder: »Sie sind ein Troll« oder auch: »Sie sind ja toll!«, was aber unter dem einsetzenden Sturm, dem Krachen der Planen, die noch nicht verzurrt waren und gegen die Zeltgestänge schlugen, nicht zu verstehen war. Jugendliche rannten über den Platz, im Küchenzelt ging das Licht an, jeder hatte plötzlich irgend etwas zu tun.

Wir saßen nebeneinander auf einer Bierbank im Teamerzelt, während draußen das Gewitter den Grasplatz überschwemmte. »Und du?« sagte ich. »Willst du hier auch dein Glück machen?« Ich duzte sie jetzt, sie schien das nicht zu stören. Sie sagte ernst:

»Was wollen Sie denn hören?«

»Die Wahrheit.«

Hinten im Zelt warf Ralf den Kanonenofen an. Es begann, nach Asche zu riechen und nach dem Öl des Holzanzünders.

»Und dann«, sagte sie. »Was kommt dann?«

»Nichts als die Wahrheit.«

»Nein. Dann gehen wir zusammen essen. Und wenn Sie dann alles von mir wissen, wissen Sie natürlich, was ich am liebsten mag, und das besorgen Sie mir dann auch, Sie bemühen sich ja, es mir recht zu machen, und wenn ich dann einmal etwas anderes will, etwas, das dem, was Sie von mir wissen, nicht entspricht, dann sind Sie beleidigt, weil Sie denken, das sei ein Affront und ich liebte sie nicht. Ich will aber nicht, daß Sie bei jedem Schulterzucken schon wissen, wie es mir geht!« Sie lehnte sich triumphierend zurück.

Ich sagte: »Das ist ja interessant.« Dann wurde das Gespräch durch einen krachenden Einschlag des Gewitters unterbrochen.

»Wenn du mir die Wahrheit nicht erzählen willst, dann sollten wir es vielleicht wie die Schweden machen. Reden wir übers Wetter. Die Schweden sind darin fast so gut wie die Engländer.«

»Ja!« rief sie. »Und über Libellen! Und Sturzfluten, Schlüsselblumen, Schafgarbe, Schotter, was gibt's noch mit Sch? Und darüber, wie aufregend ein Gewitter ist und wie schnell man paddelt; die ganze Zeit mit Gegenwind.«

»Darüber reden die Jungs hier ständig«, sagte ich.

»Natürlich. Aber sie tun es immer nur auf die gleiche Weise.« Sie hatte die Füße auf die Bank gezogen, das Kinn legte sie auf die Knie, sie war dünn, sie schaffte das ohne Probleme. Sie konnte Mitte dreißig sein, aber das war schwer zu schätzen. Ihre Haare waren mit einer Samtschleife zusammengebunden.

»Langweilen Sie sich?« Sie faßte nach meinem Arm. »Bitte, ich möchte nicht, daß Sie sich langweilen.«

Ralf hatte den Kanonenofen jetzt angeheizt. Im Vorbeigehen legte er eine Decke neben mich und klopfte mir auf die Hand. Er sah erst mich an und dann sie und brachte uns zwei Tassen Tee mit Rum, sie lächelte. Ein verschwörerisches Lächeln. Ich wußte nicht, wem es galt, ihm oder mir oder einer Person im Hintergrund, im Zelt war es halbdunkel.

Draußen rief jemand durch den Sturm, wo Marco denn bleibe, das ganze Zeug würde doch, *verdammte Scheiße hier*, aufweichen, ich hatte vergessen, wie lange wir hier schon saßen.

»Falls du noch Fragen hast«, sagte ich, »ich bin Anja.«

Sie sah mich über den Tassenrand hinweg an.

»Nein«, sagte sie. »Das glaube ich nicht.«

Ich lachte.

Sie starrte in den Becher, stellte ihn auf den Tisch, sah kurz zu den anderen hinüber, gab ihre Beine frei und stand auf.

»Meine Tasse ist leer. – Ich muß gehen!«

Es regnete noch immer. Im Zelt war es kühl. Ich hielt sie nicht zurück.

Das Gewitter hatte aufgehört, die Luft war schwer,

das Licht stand fahl hinter den Kiefern. Der Sturm hatte zwei Planen zerrissen, Zweige lagen auf dem Boden. Ich hätte gern gewußt, wo sie hingelaufen war, was sie hier machte, ich hätte vieles gern gewußt.

Svenja kam aus dem Küchenzelt, sie kippte Wasser aus einer Schüssel auf den Kies.

Es gab verschiedene Möglichkeiten: einen Wohnwagen auf dem Platz der Dauerzelter nebenan, eine Pension im Dorf. Zum Camp gehörte sie nicht, da war ich mir sicher. Es gab deutsche Aussteiger in Schweden, die ihr eigenes Brot backten und Kartoffeln anbauten. Es gab auch eine alte Fischerkate am Ende der Landspitze mit zwei Pritschen und einem kleinen Tisch, auf dem eine Sturmlampe stand, vielleicht hatte sie die gemietet. Aber das Bettzeug in der Kate bestand aus Säcken mit Stroh, und ich konnte mir nicht vorstellen, daß sie darauf schlief, ich konnte sie mir hier überhaupt nicht vorstellen. Sie trug Kleider, für die es in dieser Gegend ohne Theater, ohne Restaurant keinen Anlaß gab, Chiffonkleider wahrscheinlich, Satinkleider, die im Wald am erstbesten Gebüsch reißen würden. Jeder Weg endete nach fünfzig Metern in einem Geflecht aus Gestrüpp, Unterholz, Modder und Moos, das nur noch mit Bergschuhen zugänglich war. Mir fiel mein Lachen wieder ein. In der Erinnerung klang es genervt. Vielleicht hatte ich so gelacht, weil sie mich faszinierte. Eine Faszination, in der ich meine Unterlegenheit spürte.

Ich war hierhergekommen, um allein zu sein. Ich wollte auch Geld verdienen. Aber vor allem wollte ich für eine Weile so tun, als ginge mich der Rest meines Lebens nichts an. Kein ›Vienna‹, keine halben Nächte in kalten Küchen mehr, keine leeren Bierpullen vor der Wohnung, kein Penner am Supermarkt, dem man aus Mitleid eine Flasche russischen Wodka neben seine umgekehrte Mütze stellte, keine Großraumbüros oder Arbeitsagenturen, die, *also hören Sie mal*, das *totale Nichts* verwalteten, *wir haben nicht mal Reinigungsjobs, und da kommen Sie und wollen was mit Anspruch?* Niemand, vor dem ich rechtfertigen mußte, wer ich war.

Die frühen Morgen gehörten mir.

Wenn alle noch schliefen. Nur Ralf strich hinter dem Schuppen herum, er trimmte sich an einer alten Bank. An den Spitzen der Tipis hing das erste Licht, verschwommen und ohne Stufung. Früh am Morgen war ich allein. Es waren die einzigen Stunden des Tages, in denen niemand in der Nähe war.

Sonst schien jeder über alles Bescheid zu wissen, über jeden gab es Gerüchte. Die neuesten wurden abends am Lagerfeuer verkündet, und je mehr man dann über die anderen wußte, desto weniger lief man Gefahr, selbst zur Zielscheibe zu werden. Man wußte, daß Marco hochverschuldet ins Camp gekommen war und sich die Scheine, die er ausgezahlt bekam, in die Strümpfe nähte, man sagte, daß Svenja den Hering mit den Fingern aus der Packung aß, wenn keiner sie sah, man war sicher, daß Sabine Traumfänger sammelte und daß Wilfried vom Geruch der Elche erotisiert wurde, das war die absurdeste Behauptung.

Ich wußte auch, was über mich im Umlauf war. Daß ich ekelhaft anständig sei, hatte es eines Abends am Feuer geheißen, so anständig, den dicksten Kindern die besten Paddel zu geben und noch die letzte Nudel in der Suppe gerecht aufzuteilen. Daß ich soviel Gerechtigkeitssinn allerdings nur mit einer Miniatur-Erleuchtung ertragen könne, *oder was soll das hübsch versilberte Glühbirnchen in deinem Rucksack sonst sein?* Ich war rot geworden. Es war ein Feuerzeug in Form einer Glühbirne, die mir die Schauspieler geschenkt hatten, als das Theater geschlossen worden war. Wenn man das Rädchen betätigte, blinkte ein Schriftzug auf: *Weiterleuchten!*

Morgens am See war ich allein. Die Luft war weich und feucht vom Tau. Wenn ich den mit Kiefern gesäumten Zufahrtsweg verließ und das sonnenbeschienene Ufer betrat, hing auf der Grenze zwischen Schatten und Licht immer ein Streifen Wasserstaub, er stieg aus dem verschilften Boden auf, wich vor mir zurück und zerstob.

Aber auch zum See entkam ich nicht mehr problemlos.

Ralf hatte sich angewöhnt, mich noch am Tipi abzufangen.

Er kam mir wippend entgegen, *warm machen* nannte er das, bevor er mit seinen Hanteln zum Schuppen zog.

»Na, Frühsportler! Schon wach?«

Er sah hinüber zu den Zelten, über die Glühbirne hatte er sich als einziger nicht geäußert. »Guck sie dir an, die ratzen wieder bis in die Puppen!«

Und dann standen wir da wie zwei Verschwörer, die vergessen hatten, worum es ging. Er in seiner Fleecejakke, ich im Badeanzug. Wir wußten nicht, was wir sagen sollten.

Es war ein Stolpern im Rhythmus, ein Moment, in dem ich dachte, er hätte sich getäuscht, er hätte gar nicht zu mir kommen wollen, er wäre lieber woanders. Ich dachte, auch er hätte lieber seine Ruhe gehabt, es hätte ihm besser gefallen, wenn wir getrennt zum See gegangen, getrennt geschwommen und für ein paar Minuten unbeobachtet gewesen wären. Aber etwas trieb ihn zu mir, und da er nun da war, mußten wir uns unterhalten, eine Unterhaltung, die jeden Morgen gleich verlief.

»Ich würde auch lieber erst später schwimmen gehen. Oder mal richtig rausfahren. Mit einer Gruppe. Über Nacht.«

»Festland oder Insel?«

»Ich mag die Inseln lieber.«

»Einmal auf Bärön, und du willst nie wieder was anderes.«

»Bärön oder Trollön«, sagte ich.

Er nickte. »Nur Svenja kapiert das nicht. Die lotst ihre Truppen immer nach Norwegen rüber. Obwohl da die meisten Ameisen sind. Ganze Bataillone. Haste die mal gesehen? Rote Killerameisen. Nicht lange her, da wurde ein Elch angegriffen. Die sind rein in die Ohren, in die Nüstern. 'n richtiger Großangriff. 'ne Invasion. Der ist dran verreckt. Stell dir vor, so ein Riesenvieh. Und dann von Ameisen besiegt. *Fertiggemacht.* Aber frag mich nicht, wann ich das letztemal draußen war. – Mal probieren?«

»Nicht morgens.«

Er sah mich an mit diesem ermatteten Blick, den er hatte, wenn sein Körper in größter Anspannung war. Wenn er unter den Gewichten auf dem Rücken lag und sich vom Schwitzen eine glänzende Spur zwischen den Brustmuskeln hin zum Bauch zog.

»Echt nicht? Ist gesund. Bitterstoffe. Jede Menge in so 'm Löwenzahn. Nicht mal abbeißen?«

Er sprach oft von Svenja. Sie hatte dann irgendwas getan oder nicht getan, was falsch oder richtig war und stimmte oder nicht. Er beschwerte sich nie über ihre

Lästereien. Vielleicht wollte er etwas von ihr. Vielleicht wollte er auch nur ihren Posten. Eines Morgens hatte er mir gesagt, sie hätte fast seine Tochter *beseitigt*. Ich nahm an, er meinte, Svenja beschäftigte ihn so, daß er darüber seine Tochter vergaß. Er konnte es nur nicht besser formulieren. Seine Tochter hatte er seit Jahren nicht gesehen. Sie sei eben weg, *aus und futschikato*, mehr sagte er dazu nicht. Er sagte das auch nur zu mir.

Vor Wochen hatte ich in der Nähe der Bierbänke ein zerknittertes Stück Papier gefunden. Es lag neben frisch gespülten Verpflegungstonnen, und ich hatte es zuerst für eine der Lebensmittellisten gehalten. Dann sah ich, daß es aus einem Schulheft gerissen worden war. Ich faltete es auseinander. Die Seite war mit einer schiefen Kinderschrift bedeckt. Es war eine Art Empfehlungsschreiben, ein Brief, in dem ein Kind seinen Vater anpries, es hatte sich bemüht, nicht über den Rand zu schreiben. Der Vater mußte ihn ständig mit sich herumgetragen haben, so dünn, wie das Papier inzwischen geworden war.

»An die Offiziellen!« hieß es. »Sie müssen wissen, mein Vati wurde nach ausreichender Schulzeit in die Armee aufgenommen. Dort wurde er zuerst als Bubi eingeschätzt, der keine echten Muckis hat, aber er übte in seiner freien Zeit mit Schwergewichten, was ihn vor den verblüfften Vorgesetzten als richtigen Soldaten hinstellte, er überraschte sie immer wieder, und ihnen fielen die Kinnladen runter, sagt mein Vati, weil er dann Schnellster an der Eskaladierwand war. Da hätte ich gern mit zugeguckt. Im November 1990 bekam mein Vati einen Schlag ins Gesicht, da wurde er zum ersten Mal arbeitslos, aber wegen seiner Frau und seiner Tochter hat er sich nicht kleinkriegen lassen, sagt mein Vati. Er erhielt vier Monate später eine Arbeitsstelle. Drei Jahre später wurde er ein Jahr arbeitslos. Ein Jahr später, und er wurde wieder arbeitslos. Mein Vati suchte dann zwei Jahre lang nach Arbeit und wurde danach als Aufpasser in einer Gemäldegalerie angestellt, er bekam 3 DM die Stunde, das weiß ich genau. Doch das war nur vorübergehend. Jetzt sucht er wieder, aber nicht mehr wegen seiner Frau. Denn nach der Wende wurden wir von meiner Mutti verlassen, wegen der größeren Auswahl im Westen. Aber auf meinen Vati ist Verlaß. Das weiß ich, denn ich bin das einzige in seinem Leben geblieben, das ihm Freude macht, ich bin etwas, das entstand in der DDR, sagt mein Vati, in seiner sozialistischen Heimat. Ich bin geblieben aus einer Zeit, wo er sich sein Leben gültig aufgebaut hat.« An dieser Stelle war das »l« durchgestrichen und hinter das »t« gesetzt, und beides war noch einmal durch- und wieder unterstrichen, so daß nicht klar wurde, ob es »gültig«, »gütig« oder sogar »gütlig« heißen sollte. Der Brief endete mit dem Satz: »Ich bin seine Tochter und verlasse ihn nicht wegen ein paar Autos oder ein paar Bananen mehr.«

Als ich Ralf den Brief gebracht hatte, abends und abseits der anderen, hielt er einen Feldspaten in der Hand.

Er steckte den Brief kommentarlos ein und richtete den Spatenstiel auf mich. Er sah mich an. »Denk nicht, daß du damit punkten kannst«, sagte er dann leise. »Denk das nicht.«

Seitdem kam er jeden Morgen zu mir. Er wischte sich über den Hinterkopf. Durch die Haut seines geschorenen Schädels drückten sich Adern wie durch Pauspapier.

Das Morgenlicht hing glitzernd im Gras, die halben, noch spitzen Schatten. Ich sagte nicht viel.

Vielleicht war es das.

Vielleicht wollte er mir etwas erzählen, und dann erzählte er etwas, und ich hatte jedesmal das Gefühl, daß es das nicht war.

Morgens lag der See unbewegt da wie Glas. Er spiegelte den Himmel, der klar und lichtblau war und seine Spiegelung im See wiederum zurückzuspiegeln schien, Schattierungen von Blau, in denen sich Luft und Wasser kaum voneinander unterscheiden ließen. Am Ufer war das Blau fast schwarz, dann hellte es sich langsam auf, wurde leuchtend, silbern, bis der See sich in der Ferne aufzulösen schien.

An den Stegen vor Lennartsfors machten sie Fischerboote klar, es waren wenige.

Ich ging zur Badestelle. Das Wasser wurde nie besonders warm, und ich mußte daran denken, wie sich die Frau im Kleid übergangslos und ohne Laut in die Kälte gestürzt hatte, aber nach einer Weile vergaß ich, wie kalt es war, und schwamm in kräftigen Zügen. Draußen konnte man in jede Richtung kilometerweit sehen. Das Wasser wirkte jetzt nachtblau und schwer. Von hier aus schien das Land nur wie ein dünner Gürtel, der an manchen Stellen schon auseinanderfiel.

Es ging mir gut morgens, allein, mitten im See. Der Himmel war hoch und leer, alles schien noch vor mir zu liegen. Die Absagen der Damen vom Arbeitsamt, die Warnung, mit dreißig seien die Weichen unwiderruflich gestellt, der sich verringernde Freundeskreis, die sich klein machenden Freunde, die regelmäßigen Angsteinschläge, die aus unbestimmter Richtung kamen, schienen dagegen wenig real.

Der See war still.

Ich hatte den Eindruck, leicht zu werden und mich einer Kondensspur gleich verflüchtigen zu können.

Als ich ins Camp zurückkam, hatten sie Kaffee gemacht. Sie deckten den Tisch der Sitzkombination, ein langer Tisch und zwei Bänke vor dem Küchenzelt, die miteinander verbunden waren. Wenn mehrere gleichzeitig an einem Ende aufstanden, konnte es passieren, daß die Sitzkombination an diesem Ende senkrecht in die Luft schnellte. Vor ein paar Tagen war Sabine auf diese Weise mit dem Müsli und dem ganzen Frühstück ins Gras gekippt. Seitdem konnte sie sich kaum noch auf ihr Frühstück konzentrieren. Sie saß in Lauerstellung. Sie wartete darauf, daß die anderen wieder alle gleichzeitig aufstünden. Sie versuchte, sich in die Mitte der Bank zu setzen. Aber die anderen drängten sie lachend erneut an den Rand. *Jeder an seinem Platz*, wie Svenja sagte, *und für jeden die richtige Aufgabe, dann laufen hier weniger kaputte Gestalten rum*, wobei nicht klar wurde, wen sie meinte. Ich setzte mich an das äußerste Ende, das Sabine diagonal gegenüberlag, damit sie in Ruhe frühstücken konnte.

Als später an diesem Tag die Frau, diesmal in einem gelben Kleid, ins Camp kam, war Svenja gerade im Küchenzelt. Ich war damit beschäftigt, Innenzelte auf Löcher zu prüfen und Außenzelte abzuspritzen. Sie blieb am Ginster stehen. Die Farbe ihres Kleides war mit dem Gelb des Ginsters so identisch, daß sie sich kaum noch vom Ginster unterschied.

Dann lief sie dem Ball entgegen, den ihr jemand zuspielte. Sie schoß, zielte aber schlecht, und der Ball flog über die Grasnarbe hinweg in die Böschung. Ein Jugendlicher fragte, was sie wolle und ob sie Teil einer schwedischen Tanzgruppe sei, und sie lachte. Während sie hinüber zur Böschung lief, tat sie so, als hätte sie mich nicht gesehen. Aber ich merkte, daß sie ihre Bewegungen auf meine abzustimmen versuchte.

Ich ignorierte sie. Ich wollte heute abend am Feuer nicht hören, wie erlesen neuerdings meine Bekanntschaften wären.

Als ich mich in ihre Richtung drehen mußte, um einen leeren Zeltsack vom Stapel zu nehmen, lief sie schnell hinter ein Tipi, nicht ohne sich vorher zu versichern, daß ich sie gesehen hatte. Als ich mich bückte, schlenderte sie wieder hervor. Sie winkte dem Jugendlichen, der nach dem Ball gerannt war und ihn ihr zugeworfen hatte. Als ich einen Hering aus dem Boden riß, sprang sie hoch, und den Ball warf sie genau in dem Moment in die Luft, als ein Zelt, das ich vom Skelett befreit hatte, in sich zusammenfiel. Ich schob die Teleskopstangen ineinander, sie schob den Ball mit dem Fuß ein Stück vor. Als wollte sie mir zeigen, daß ihre Handlung sich aus meiner ergäbe. Als befänden wir uns auf einem Spielfeld, auf dem sie mir bewiese, daß jede Bewegung einen Anschluß hätte und daß mein Schritt von ihren Schritten unerbittlich abhängig wäre, um das Spiel am Laufen zu halten. Auch wenn es zusammenhanglos und zufällig wirkte, wurde der Grasplatz zum Feld. Und mit jeder Bewegung des Balls ergab sich eine andere Position zwischen uns, aber wir waren nicht die einzigen Spieler.

Ich blieb reglos stehen.

Sie kam sofort zu mir herüber.

»Die Farbe ist schön«, sagte sie. »Das habe ich gleich bemerkt.« Ich hatte eine kurze helle Lederjacke an, sie berührte das Leder. »So etwas sollten Sie immer tragen. Hier, den habe ich Ihnen mitgebracht.« Sie legte den Ball ins Gras. Sie war außer Atem.

Sie sah sich um. »So viele Zelte, wer braucht die?«

Ich hatte neben dem Duschhaus gearbeitet, am hinteren Teil vom Platz, den man vom Küchenzelt aus nicht einsehen konnte.

»Die Jugendlichen, wenn sie auf Tour gehen. Die Straße ist übrigens drüben auf der anderen Seite. Falls du dich verlaufen hast.«

»Wie meinen Sie das?«

»Ich glaube, man beginnt sich langsam dafür zu interessieren, was du hier machst.« Ich vermied es zu überprüfen, ob man uns vom Küchenzelt aus tatsächlich nicht sehen konnte. Im Moment war niemand in der Nähe. Ich gab dem Ball einen Tritt, wieder flog er in die Böschung. »Man hat nicht gern Fremde auf dem Platz.«

»Ich lebe hier. Und ich dachte, Sie könnten mir vielleicht Gesellschaft leisten.«

»Beim Leben?«

Sie stand eine Weile schweigend, während sie hinüber zu den Zelten sah. Dann kreuzte sie die Beine und setzte sich ins Gras. Hinter ihr ragten die Zeltstangen auf, hautloses, silbernes Gebein.

»Sie sind eine Frau«, sagte sie plötzlich. »Das hätte ich nicht gedacht. Aber das macht nichts.« Sie sah mich prüfend an. »Das macht gar nichts, jetzt, wo ich Sie gefunden habe.«

»Ich würde ja gern mit etwas anderem dienen«, sagte ich. »Aber so lange es auf dieser Welt nur zwei Möglichkeiten gibt –«

»Man kann sich jederzeit entscheiden.«

Sie zog ihr Kleid zurecht, sie rückte an ihrem Ausschnitt, der mit durchsichtiger Spitze verziert war. Aber was immer sie hatte korrigieren wollen, der Ausschnitt wurde nur größer. Ich sah ihre Brüste.

»Laß mal«, sagte ich. »Was immer du da vorhast mit deinem schicken Dekolleté und nichts drunter. – Alle Frauen, die ich kenne«, sagte ich großspurig, »alle Frauen, die mit Frauen leben, sind unglücklich. Sie sind unglücklich, oder sie leben zusammen wie Kleinbürger, wie ihre Eltern, von denen sie trotzdem gemieden oder diffamiert werden. Es gibt kein Entrinnen, nur dramatisch anschwellende Hintergrundmusik. Obwohl zwei, die zusammenkommen, immer alles neu machen wollen, aber nach einer Weile machen sie doch wieder das Alte nach, und von ihrem großen Plan bleiben nur die orangefarbenen Wände ihrer Zweizimmerwohnung übrig.«

Sie hielt einer Libelle die geöffnete Handfläche hin, das Tier zog unbeirrt weiter.

»Komisch«, sagte sie, »und Sie können in so einer Welt leben?«

»Ich habe die nicht gemacht.«

Sie lächelte. »Sie sind gerade dabei.«

»Dann gehöre ich wohl zu den Verlierern. Zu den zehn Prozent schlechtes Gewissen, das diese Gesellschaft noch hat.«

»Sie sind zufrieden damit, ein Verlierer zu sein?« fragte sie.

»Nein.«

»Warum sagen Sie es dann?«

»Es ist besser, als sich einzureden, man wäre es nicht.«

»So einer sind Sie! Sie sagen es, um zu verbergen, daß

ein Romantiker in Ihnen steckt!« Sie zog die Knie an und stützte ihr Kinn darauf. »Mein Haus wird Ihnen gefallen«, sagte sie. »Bestimmt.«

»Ja. Und ich muß jetzt Zelte flicken. Sie können mir gern helfen.«

Eine Mädchengruppe lief mit Paddeln beladen an uns vorüber. Sie sah mich an, als hätte ich etwas völlig Abwegiges gesagt.

Sie saß vor mir im Gras. Sie trug dieses luftige Kleid, und es war, als böte sie sich an; ein Mädchen, das zu Füßen eines Jungen sitzt, irgendeines Jungen, der ballspielende Junge war es nicht. Ihr Körper drängt sich an seine Knie. Er spürt sie deutlich, er kann ihre Brüste sehen, aber er kann sich nicht bewegen, weil sie ihn merken läßt, wie sehr sie es auf jede seiner Reaktionen abgesehen hat.

Ich lachte und drehte mich weg.

»Sie glauben mir nicht?« sagte sie. »Sie müssen nicht glauben, daß es Ihnen gefällt. Ich kann Ihnen das Haus zeigen. Werden Sie mitkommen?« fragte sie. »Werden Sie mal mitkommen in mein Haus?«

»Na klar. Wo ist es?«

»Oh«, sie sah mich erstaunt an. »Auf der anderen Seite vom Foxen. Es ist ein totes Haus, aber es hat ein wunderschönes Dach, Sie werden sehen, das Dach ist ganz außergewöhnlich.«

»Außergewöhnlich für ein schwedisches Haus?« fragte ich.

»Ja. Für ein schwedisches. Für ein Haus.« Sie faßte nach meiner Hand, sie versuchte, mich neben sich zu ziehen, aber ich gab nicht nach und stand ein bißchen gebückt.

»Also kommen Sie mit«, rief sie und sprang auf. »Sie

haben es gesagt! Sie können es jetzt nicht mehr zurück-
nehmen.«

Es war spät geworden. Ich würde bis in die Nacht arbeiten und Ralf darum bitten müssen, das Außenlicht
zu installieren, weil es auf dem Platz zu dunkel werden
würde, und er würde sagen, *wenn du mich nicht hättest, da
kannst du wirklich froh sein, weil ich im Gegensatz zu den
anderen nämlich meine Klappe halten kann.*

An der Lagerfeuerstelle entzündeten sie Pappen, Müll,
der von der Lebensmittellieferung übriggeblieben war.

»Sie müssen es mir versprechen!«

Sie streckte den Arm aus, als wollte sie mir die Hand
an die Wange legen, drüben schlugen Flammen an den
Pappen hoch, drüben riefen sie sich etwas über Zwerge
und Vergiftungen zu, der Zusammenhang blieb lose, ein
grauer, atompilzförmiger Qualm stieg vor dem Schup-
pendach auf, sie zog ihre Hand zurück, »Schmoll«, sagte sie, als würde sie auf etwas warten, aber es passierte
nichts, es war ein träger, fettiger Qualm. Drüben lief Ralf
mit einer Schubkarre zurück ins Küchenzelt, um neue
Pappen zu holen, Wilfried entleerte eine Bierbüchse mit
Kippen ins Feuer. Svenja lachte. Als hätte sie einen ihrer üblichen Kommentare über mein teures Duschgel
gemacht, *vornehm geht die Welt zugrunde,* wie das denn
mit meiner *sportlichen Ader* und meiner *Wildnisliebe* zu
vereinbaren sei.

Der Qualm drang nicht bis zu uns herüber. Bevor er
das Duschhaus erreicht hatte, löste er sich auf.

»Entschuldige. Ich muß jetzt wirklich was tun.«

Sie sah mich erschrocken an. Ihr Gesicht war weiß.
Sehr weiß stach es von den gebräunten Gestalten auf
dem Grasplatz ab.

Ich enthäutete die restlichen Zelte, zählte die Heringe, von denen immer welche fehlten. Später kam Ralf und wollte wissen, wer das gewesen sei, wer sich so was eigentlich erlaube, *spinnen die jetzt völlig, oder was*, bis mir auffiel, daß er die verbogenen Zeltstangen meinte, nicht diese Frau.

Nachts zog ich einen zweiten Pullover zum Schlafen an. Ich lag da und dachte an sie. Wie sie mit ihren hohen Absätzen waghalsig schnell über Wurzeln und Steine lief, wie es ihr vor Staunen ständig den Atem verschlug, diese ganze aufgeweckte Herumalberei. Es war mir unangenehm, aber vor allem wegen der anderen. Ich hatte nichts dagegen, sie wiederzusehen. Das Campleben war kalkulierbar genug.

Als ich einschlief, brach dort, wo es dunkel sein sollte, Feuer aus. Ich glaubte, den falschen Hebel am Lichtpult über der Bühne erwischt zu haben, und streckte die Hand aus, um das zu korrigieren, um die Darstellerin in ein neues Licht zu tauchen. Als ich die Zeltwand berührte, schreckte ich hoch. Die Hand war mir fremd. Ich lachte.

Du hast vielleicht 'ne Lache, wenn du schläfst, sagten die anderen am Morgen, *du hast gelacht, als würdest du jemanden auslachen*.

Ich rollte den Schlafsack ein.

Das Camp lag am Ende der Siedlung auf einer schmalen Landspitze, dahinter begann der Foxen, einer der unberechenbaren Seen im Grenzgebiet. Der Wind fiel von allen Seiten ein, und war das Wasser eben noch unbeweglich wie Glas, konnte es im nächsten Moment bersten, als explodierte der Grund.

Ich setzte mich zu Ralf an die kalte Feuerstelle, es war sieben Uhr, im Küchenzelt hatten sie Kaffee gekocht. Er trank aus seiner roten Emailletasse. Wir sagten eine Weile nichts.

»Willst du nicht erzählen, was los ist«, sagte er dann.

»Keine Ahnung. Habe ich so laut gelacht? Da machen sie bestimmt wieder eine große Geschichte draus.«

»Was du hier treibst«, sagte er, ohne mich anzusehen. »Willst du mir das nicht mal offenbaren?«

»Ich dachte, ich leiste dir beim Kaffee Gesellschaft.«

»Du meinst, du leistest mir einfach so Gesellschaft.«

»Ja.«

Wir waren allein am Feuerplatz. Er rauchte, er rauchte sonst nicht.

»Das ist ja reizend«, sagte er. »Glaubst du, ich mach hier den Beschützer, ganz egal, was du dir rausnimmst?«

»Mensch, Ralle«, sagte ich, als wäre ich Svenja. »Ich versteh nicht –«

»Du setzt dich mit deinem Kaffee zu mir. Du verstehst nicht. Du denkst, es geht alles so weiter, ja. So, wie *du* willst. Ich kann dir ja mal sagen, was *ich* will. Was *ich* denke. Ich denke, wir haben was abgemacht. Ich denke, wir sind ein Team.«

»Ja. Aber –«

»Aber eigentlich sind wir alle nur Statisten. Was? Statisten in deinem persönlichen Lebensplan.«

»Ich hab's immer noch nicht kapiert, Ralf.«

»Nein?« Er sah mich an. »Dann stell dir mal vor, bei Frauen wie der passiert bei mir überhaupt nichts.«

»Wen meinst du?«

»Die Kleine. Die immer hinter den Tipis rumturnt.«

»Ist mir nicht aufgefallen.«

»Ist dir nicht aufgefallen. Hm. Das dachte ich mir.« Er sah geradeaus.

»Wenn du vorhaben solltest, das, was du dir dachtest, auch auszusprechen, hätte ich es lieber, du machst es gleich.«

»Red mal nicht gleich so hochgestochen«, sagte er. »'ne schöne Mieze hast du dir da angelacht.«

Ich wußte nicht, ob sie schön war. Jedenfalls erinnerte nichts an dieses rauhe Lachen im ›Vienna‹, nichts an endlose, durchwachte Halberstädter Nächte, nichts an dumpfe Leidenschaft, und als ich das dachte, fiel mir auf, daß ich sie bisher auch nicht in dieser Weise betrachtet hatte.

Sie war überschwenglich und ein bißchen zu fröhlich. Ihre Sommerkleider verbargen kaum, wie dünn sie war.

Ich wollte Ralf sagen, daß ich sie nicht kannte, daß ich auch nicht wisse, wo sie hergekommen sei oder was sie hier mache, daß ich es aber gern für uns alle herausfinden würde, da ich heute mit ihr verabredet sei. Aber Ralf war schon aufgestanden. Er ging zu Wilfried an die Waschstelle, und ich sah, wie Wilfried nickte und zu mir herüberschaute, und war dann froh, daß ich es nicht hatte sagen können.

»Ich brauche eine Pause«, sagte ich später zu Svenja im Küchenzelt.

»Ach«, sagte Svenja. »Kaum ist die OP geglückt, brauchen alle 'ne Pause!« Svenja war Medizinstudentin gewesen. Sie kannte die lateinischen Namen aller Muskeln, hatte sich aber nicht in die Prüfung gewagt. Sie hielt auch das für Glück. *Als Arzt verdienste doch nur noch in Norwegen gut, und da ist es mir dann wirklich zu dunkel.*

»Soll ich dir was sagen? Ich brauch die Pause auch. Leider haben wir vom letzten Durchgang fünf Schwimmwesten zuviel zurückgekriegt. Ein Grund zum Feiern, wenn man nicht wüßte, daß das nur geht, wenn irgendwo davor die Abrechnung nicht stimmt. Also gehe ich jetzt den ganzen Papierberg nochmal schön in Ruhe durch.«

»Gib mir zwei Westen. Und schon ist der Schnitt besser.«

Svenja kam hinter dem Nudelregal hervor. »Zwei? Das geht bei euch aber schnell. Hast du mich hier vielleicht schon mal mit 'm Typen gesehen? Und ich bin immerhin drei Wochen länger hier.«

»Vielleicht hast du ja in den drei Wochen schon alles erledigt.«

»Jetzt mal im Ernst.« Sie holte sich einen Kaffee. »In unserem Camp gibt es ein paar Regeln. Knutschen verboten, klar. Jemand hat sich beschwert.«

»Was?«

»Es ist mir piepegal, was du draußen machst. Aber ich hab keinen Bock drauf, daß eines von den Kids zu Mami und Papi läuft und erzählt, was es hier Tolles gesehen hat.«

Sie verschwand wieder hinter dem Regal. »Weiß Ralf schon davon?«

»Wieso? Was hat der denn damit zu tun?«

»Ich meine, weiß er, daß du rausgehst. Einer muß schließlich die Paddel kleben.«

An der Bootsausgabe war niemand. Montags gab es hier unten nichts zu tun, und ich sah sie in ihrem Kleid schon von weitem. Sie hatte sich an eine der Kiefern gelehnt, unter denen es schattig war, sie schien irgendeine Kostbarkeit entdeckt zu haben, der sie ihre ganze Aufmerksamkeit widmete.

Ich dachte kurz daran umzukehren, das Mißverständnis zu klären. Vielleicht hatte Ralf erwartet, ich würde mich gelegentlich dafür revanchieren, daß ich von seiner Tochter wußte, ich würde ihm meinerseits etwas anvertrauen, und ausgerechnet jetzt, wo es nichts anzuvertrauen gab, nahm er an, ich hätte ihm etwas verschwiegen.

Sie lief mir entgegen, sie rief: »Da sind Sie ja endlich! Ich dachte schon, Sie hätten alles vergessen.« Ich schob eines der Boote, die nur halb auf den Sand gehoben worden waren, ins Wasser. Die anderen lagen umgekippt auf dem Hangar. Man hätte sie zu zweit herunterheben müssen. Aber sie sah in ihren weißen geflochtenen Schuhen nicht aus, als könnte sie mir helfen.

Sie kletterte an mir vorbei ins Boot, und ich konnte nicht anders, ich mußte auf ihren Mund sehen. Es war ein Kindermund. Ihr Mund sah aus, als hätte sie Lippenstift aufgelegt und dann in einen Apfel gebissen, an dem ein Teil der Schminke haften geblieben war. Ich hatte kein Bedürfnis, sie zu küssen, und ärgerte mich, daß Svenjas lächerliche Ermahnung eine solche Wirkung hatte.

Sie setzte sich nach vorn.

Ich steuerte das Boot an der Landspitze vorbei auf den Foxen.

Wir redeten nicht. Der See war ruhig und glatt, sie tauchte einen Finger hinein. Der Himmel hinter ihrem Kopf war hell. Weißlich aufgeschäumt. Ich betrachtete ihre schmalen Schulterblätter, die schmalen Gelenke, ihre Bewegungen waren verzögert, nur angedeutet, alles an ihr schien biegsam, nicht stabil.

Wir fuhren hinaus auf den Foxen, an Inseln vorbei, hinüber zum anderen Ende des Sees. Wir machten an einem felsigen Abschnitt fest. Das Ufer säumten weit ins Wasser ragende, algige Steine.

»Ich bin so froh, daß Sie da sind, Schmoll. Daß Sie mitkommen wollen. Sie wollen das doch, oder?«

»Einsam hier.«

»Sie werden schon sehen.« Sie griff nach meiner Hand. »Aber sind Sie sicher? Sie müssen sicher sein, Schmoll. Und Sie müssen es mir sagen.«

»Ja doch«, sagte ich, »wenn es dich beruhigt. Ja.«

Sie ging voran, sie fand einen halbwegs trockenen Pfad. Felsen zogen sich weit den Hang hinauf, Heidelbeerbüsche, Moosfelder, hochstehendes Gras. Einmal verfing sich ihr Kleid in einem Weißdornstrauch und riß sie zurück.

Ich fragte mich, was mich ihr folgen ließ, was mich durchs Unterholz und über verfilzte Hänge trieb, ob es Neugier oder Erregung war oder nur der Lagerkoller, der alle irgendwann erwischte, die Langeweile und das Licht, das am Ende sogar Kanu-Latschen und karierte Hemden aufreizend aussehen ließ. Sie hatten erzählt, daß jeden Sommer irgendwer mit irgendwem zusammenkam.

Das Haus stand auf einem Feld mit Blick auf den See.

Es war zweistöckig, aus nachgedunkeltem roten Holz. Es gab einen Walnußbaum und Johannisbeersträucher, die Früchte waren reif. Als ich ein paar Beeren abpflückte, stieß ich mit dem Fuß gegen einen Blumentopf, die Pflanzen darin waren verschimmelt. Aber sie waren noch immer aufrecht an ihr Stützgestänge gebunden. Es gab viele solcher vergessenen Töpfe.

Rechts neben dem Haus lag ein Sandplatz, auf dem

eine Kinderschaukel und ein Autowrack verrotteten. Es mußte ein teurer Wagen gewesen sein, ein Chevrolet oder ein Buick, der Rost hatte sich ins Metall gefressen und die Farbe unkenntlich gemacht.

»Lassen Sie doch dieses langweilige Auto«, rief sie. »Gucken Sie mal hier!« Sie stand am Haus, auf Zehenspitzen vor einem der Fenster, sie hatte beide Hände an die Scheibe gelegt, auf gesprungenes, blindes Glas. »Es ist alles noch da.«

Ihr Kleid war hochgerutscht, entblößte die Beine, es sah aus, als stünde sie auf Stelzen.

»Wir können rein, wenn Sie wollen.«

»Hast du einen Schüssel?«

»Hier schließt doch niemand ab!« Sie rüttelte an der Tür.

»Warte.«

Reglos stand sie da und ließ sich helfen.

Das Haus mußte lange unbewohnt gewesen sein. Es war, als habe es jemand überstürzt in wildem Durcheinander verlassen. Als wäre ein Leben unvermittelt abgebrochen, als wäre es noch in der Bewegung erstarrt. Es roch nach Staub und Schimmel und vermodertem Papier. Auf dem Wohnzimmertisch lag eine aufgerissene Packung Kekse. In der Zuckerdose steckte noch der Löffel, zementiert im Zucker, der hart geworden war. Man konnte die Handgriffe ahnen, die zuletzt erledigt worden waren, vielleicht gelang es bei längerem Hinsehen sogar, die Vorlieben, die Gestik, das Alter der Bewohner zu rekonstruieren, anhand der Gegenstände ließen sich Bewegungen nachvollziehen, die dem Datum einer aufgeschlagenen Zeitung zufolge Jahre zuvor unterbrochen worden sein mußten.

Die Räume waren halbdunkel.

Der Nippes auf einer Kommode war stumpf von Staub. Eine Porzellantänzerin war umgekippt, sie reckte sich nach ihrem abgebrochenen Arm. In zwei gläserne Bodenvasen hatten sich eingetrocknete Wasserschlieren wie Jahresringe geprägt.

Alles Lebendige war stillgelegt. Das Haus wirkte tot. *Klare Sache*, hätte Ralf gesagt, *daß das Ding eine General-überholung braucht.*

»Sie mögen es nicht?«

»Klasse«, sagte ich.

»Sie mögen es nicht«, sagte sie hell und legte den Kopf schief, um mich zu betrachten.

»Doch doch. Es ist von einer, wie soll ich sagen, ver-blichenen Eleganz. Einsame Spitze.«

Sie betrachtete mich wie bei unserer ersten Begegnung am Ufer. Aufmerksam sah sie mich an, als sei sie von dem, was sie sah, verunsichert. Sie war blaß, die Wangenkno-chen lagen dicht unter einer trocken darübergespannten Haut.

Es machte mich nervös.

»Etwas antiquarisch vielleicht.«

Sie lachte.

Sie rannte durch den Raum, hob eine Strickjacke auf, berührte den Löffel im Zucker.

»Ich habe alles so gelassen, wie es war.«

Ich stand noch an der Tür.

Ich sah mich um, unschlüssig. Ich hätte mit Ralf reden sollen, bevor ich gegangen war. Wenn man bei ihm nicht gleich reagierte, nahm er das zum Anlaß, sich wieder in sein störrisches Schweigen zurückzuziehen. Als ich mich fragte, ob meine Brüder es mit ihren Kumpels vielleicht leichter hätten, entdeckte ich ein Satinlaken.

Es lag auf einem Sofa an der Wand.

Im Gegensatz zur übrigen Einrichtung war das Laken neu. Sie mußte es vor kurzem gekauft haben.

»Wenn du mit mir ficken willst, warum sagst du's mir nicht einfach.«

Über den Boden zog ein dünner Streifen Sonne. Ich stand da, wo das Licht hinfiel. Sie war von mir weggegangen, ins Halbdunkel, ans andere Ende des Raums, ich konnte sie kaum noch erkennen. »Du bist nicht unbedingt mein Typ«, sagte ich. »Aber wo du mich schon hergeholt hast. Sag mir, wie du's willst.«

Der Raum war niedrig und besonders still. Der Nippes auf der Kommode zwischen uns wurde von Sonnenstreifen getroffen, er wirkte niedlich.

Ich hätte es gern noch einmal gesagt. Es war immer dasselbe. Es bedurfte nur einer Anspielung, vage erotisch, und schon war ich wieder an diesem Punkt, an dem man es sagte, damit man Lust bekam, und deshalb Lust hatte, es zu sagen, und es war fast nicht mehr wichtig, zu wem.

»Sie sind lustig«, flüsterte sie. »Sind Sie immer so? So, wie Sie reden?«

»Wenn ich dich so sehe. In einem abgelegenen Haus. In einem nicht unbedingt hochgeschlossenen Kleid –«

Sie kam aus dem Halbdunkel hervor und lief einen Bogen um die Kommode. Das Licht traf sie von der Seite, als sie ein Fenster aufdrückte. Das Fenster fiel sofort wieder zu. Ich hatte sie noch nie in so einem Licht gesehen. Es drang vom Walnußlaub gefiltert und abgeschwächt durch die Fenster, und in diesem Licht war sie schön. Ihr blasses Gesicht. Die Achtlosigkeit, mit der sie ihre Kleider trug. Es war eine Achtlosigkeit, die wahrscheinlich erst entstand, wenn man eine ungewohnte Haltung so lange diszipliniert einstudiert hatte, daß man sie wieder vernachlässigen konnte.

Ich fühlte mich klein und ahnungslos.

»Und der Spitzname ist auch ziemlich albern.«

»Was denn für ein Spitzname, Schmoll?«

»Nicht, daß ich meinen Namen besonders gelungen fände. Sie haben ihn damals allem verpaßt, was einigermaßen weiblich war. So einfallsreich waren sie in den Siebzigern. Im Osten.«

»Sie haben noch gar nicht richtig hingesehen«, sagte sie.

»Alles, was ich sehe, ist, daß du einen ziemlichen Aufwand betreibst, um jemanden ins Bett zu kriegen«, sagte ich. Es hätte weich klingen sollen, weich und diesem diffusen Licht angemessen, aber es gelang mir nicht. »Du brichst in ein Haus ein, kaufst ein edles Laken, ich wette, irgendwo hast du auch noch Champagner versteckt!«

»Du findest das albern?« Sie blieb stehen.

»Du denkst, das ist eine Show hier«, sagte sie sachlich. »Du denkst, ich ziehe eine Show ab. Für dich ganz allein. Du glaubst im Ernst, ich bin da, um dich zu amüsieren? Zu schade, du bist ein miserables Publikum. Du hast nicht mal Spaß.« Sie wartete. Sie kam nah an mich heran. »Glaubst du wirklich, ich hätte dich hergelockt, um ein bißchen zu spielen?«

»Ich hab doch gesagt, es ist ein ziemlicher Aufwand.«

»Ich habe in meinem Leben genug gespielt. Das reicht. Ich hab es satt!« Es war still, die Bäume dämpften das Licht. »Man kennt die Regeln, man kann aussteigen, man kommt jederzeit raus, man muß es nur sagen. Man sagt stop, und schon war alles nicht so gemeint. Schon war alles nur zur Abwechslung. Zum Spaß.«

Ich war zurückgewichen.

»Dann sag mir –«

»Was. Daß ich mit dir schlafen will? Meine Liebe, wenn ich mit dir schlafen wollte, hätte ich das längst getan. Was ich möchte, ist Konsequenz. Zwangsläufigkeit. Intensität. Nicht bloß Sex. Sex kann jeder. Jeder Idiot kriegt das hin. Verstehst du? Ich will etwas anderes. Wenn du das für albern hältst, von mir aus. Dann gehst du jetzt besser.« Alles Kindliche war verschwunden. Sie sah wie Mitte Dreißig aus. Es war das erste Mal, daß sie mich duzte.

»Aber du bist nicht hergekommen, um mir zu erzählen, wie albern das ist. Du bist gekommen, weil du das Unvorhersehbare suchst. Weil du die Wiederholungen satt hast.«

Sie wartete.

»Sehnen Sie sich denn nicht«, sagte sie dann leise. »Sehnen Sie sich denn gar nicht?«

Ich ging näher, ich verfehlte ihre Hand.

»Schon gut. Da. Nehmen Sie meine Hand. Und jetzt zeige ich Ihnen noch etwas.« Sie drehte sich um. »Sie brauchen nur Zeit, Schmoll, nicht? Sie sind klug. Sonst hätte ich Sie nicht erkannt.«

Wir gingen nach draußen, ich lachte, ohne zu wissen, warum. Vom Dach hing eine Regenrinne, die wie ein Windharfe klang. Sie stellte sich neben mich und sah mit mir zum Dach hoch.

Ihr Kopf lehnte an meiner Schulter, ein Ku'damm-Bild, schon wieder. Überdimensional ihr Körper, ein glühender, zerbrechlicher Körper an einem halbnackten Jungen im Tangaslip –

»Bitte«, flüsterte sie.

Ich trat zurück. Ich schlug Brennesseln zur Seite, ich ging, ich suchte den Pfad, ich konnte ihn zuerst nicht finden.

Sie vermissten mich nicht. Sie fragten nicht, wo ich gewesen sei, sie benötigten offenbar niemanden bei den Booten, keinen, der die Paddel ausgab und ihre Vollständigkeit kontrollierte. Die Hälfte des Sommers hatte ich im Geräteschuppen gearbeitet, aber jetzt schien das nicht mehr von Belang. Ralf war nirgendwo zu sehen.

Die anderen sagten, jemand hätte mich ersetzt, ich wäre nicht mehr für die Paddel zuständig. Ich versuchte, mir nichts anmerken zu lassen. Ein Walkie-talkie sprang an, es lag auf der Bank vor dem Küchenzelt. *Uwe an Ralf,* es lag auf der Seite, es rauschte, *wieso bist du nicht auf der Teamersitzung, haben sie euch keine Disziplin beigebracht, ich will wissen, wieviel von den Booten ihr abgeben könnt, scheiße, weißt du eigentlich, was ein Walkie-talkie ist, man hat es, verdammt noch mal, am Mann!*

Die Pappen am Feuerplatz waren zu grober, schmutziger Asche geworden, der Fußball lag daneben. Eine Spur zog sich quer über das Leder. Ich stellte das Walkie-talkie ab.

Die Sonne stand hoch.

Ich setzte mich für einen Moment auf die Bank und konnte noch die Regenrinne hören, die wie eine Windharfe klang.

Ralf fand ich hinter dem Schuppen. Er stocherte mit einem Grashalm im Sand. Als er mich sah, biß er das obere Ende ab und spuckte es sich vor die Füße.

»Die Einteilung macht Svenja. Warum fragste nicht die.«

»Ich war doch nur vier Stunden weg. Es sei denn, hier ist inzwischen eine neue Zeitrechnung angebrochen.«

»Na ja.« Er widmete sich wieder seinem Halm.

»Dann geh ich mal Svenja fragen«, sagte ich, »was? Und wenn du mich brauchst, Ralf, wir sind ein Team.«

»Laß mal«, sagte er. »Laß mal.«

Ich lief zu Svenja ins Küchenzelt. Sabine hockte vor ihr, sie hatte einen Knopf an Svenjas Bluse genäht und biß den Faden ab.

»Ich muß also keine Paddel mehr verarzten«, sagte ich.

Svenja wischte Sabines Hand weg, die erneut nach dem Knopf greifen wollte. »Wir müssen gleich zur Anlege runter, Anja, wir brauchen jeden Mann, die Boote müssen aussortiert werden. Du bleibst oben und paßt schön auf, daß keiner Scheiße baut. Lagerwache, oder wie man das nennt.« Sie klopfte Sabine auf die Schulter, Sabine sah mich entschuldigend an. »Den Schuppen macht jetzt Ralf, wir haben rotierendes System, damit es keinem langweilig wird.«

»Mir war gar nicht langweilig«, sagte ich.

Ich blieb allein im Camp, es war genug zu tun. Ein Jugendlicher strich auf einer Gitarre herum. Packsäcke lagen aus, blauer Kunststoff, sie glänzten vor Feuchtigkeit. Ich stellte die Sprenger an, das Licht traf schräg die hochsprühende Gischt, es sah aus, als würde das Licht sich dem Wasser eindrücken und mit ihm zu Boden fallen.

Ich war nicht mehr für den Geräteschuppen zuständig, ich war jetzt die Lagerwache. Ich sagte mir, es spielte keine Rolle. Aber dann fiel mir ein, daß auch das Theater damals Leute, die es hatte loswerden wollen, erst mal auf sinnlose Posten verschob, und sofort kam wieder die alte Panik auf.

Ich holte die Axt aus dem Schuppen. Ich trug sie hinüber zur Feuerstelle. Ich wollte etwas tun, das anstrengend und gefährlich war. Es gab genug Holz, Kiefer, das von den Tipistangen übrig war. Ich versuchte gleichmäßig zu arbeiten, aber ich rutschte oft ab, und die Schläge krachten über den Platz.

Als ich gegen Abend die Sprenger kontrollierte, waren die gewässerten Stellen tief dunkel.

Der Jugendliche spielte noch immer, er hatte einen neuen Akkord gefunden, den schlug er pausenlos an.

Später kam Wind auf. Er machte die Schatten menschlich und bewegt, er war nicht sehr stark. Beim Anblick der Schatten mußte ich an sie denken, an dieses Mädchen, an die Frau. Sie hatte mir ihren Namen nicht gesagt, sie hatte sich geweigert, sie war der Ansicht, man müsse einen finden für den eigenen Gebrauch.

Wahrscheinlich benötigte ich dafür Zeit, hatte sie gesagt.

Ich spürte wieder, wie sie an meiner Hand aus dem Kanu geklettert war, wir hatten dann eine Weile auf dem Steg gesessen. Der Streit im Haus schien vergessen zu sein, ich sprach sie nicht mehr darauf an.

Wir saßen mit dem Rücken zum Ufer. Sie erzählte mir, wie sie das Haus gefunden hatte. Ich nahm an, sie würde mir nur die Hälfte der Wahrheit sagen, ich hörte kaum zu. Das Haus sei zu einer fixen Idee geworden, sagte sie. Sie habe ein Haus gewollt, das sich abseits von allem befinde, versteckt, mit diesem speziellen Etwas.

Sie saß auf dem Steg, die Füße knapp über dem Wasser.

Wie sie wahrscheinlich in Årjäng gesessen hatte.

Årjäng hat einen Supermarkt, ein Café und auf dem Marktplatz steht ein hölzerner Zwerg, aus dessen Mund eine Rutsche wie eine Zunge auf den Gehweg reicht. Den Einheimischen gilt er als Waldgeist, und den Tauben dient er als Landeplatz.

Sie hielt sich beim Wetter auf.

Es ist außergewöhnlich heiß, sagte sie. Dreißig Grad im Schatten, sie hat sich den Wetterbericht ins Englische übersetzen lassen von zwei Männern. Sie sprechen sie an, weil sie allein ist. Weil sie die einzige Frau im Café ist. Weil es das einzige Café ist im Umkreis von fünfzig Kilometern, das einzige, in dem es Milchkaffee gibt. Sie reist von Zeltplatz zu Zeltplatz. Sie nimmt nie ein Hotel, Haus oder Himmel, sagte sie, nichts dazwischen.

Sie holt eine Landkarte heraus. Sie fährt mit dem Finger die Linien nach, was sie sich früher nie hat vorstellen können, sagte sie, sie hat einfach nicht verstanden, was die Straße, der sie folgt, mit einer schmalen Linie auf Papier zu tun haben soll. Hier ist der Himmel weit, hier kann man sich Zeit lassen, um die Weite der Landschaft in die Enge einer Abstraktion zu bringen.

Die beiden Männer beobachten, wie sie die Angebote eines Maklerbüros studiert.

Dann sagt der eine: ›Sie suchen ein Haus in der Gegend?‹

Er spricht ein brüchiges Englisch, seine Haare sind schmutzig weiß, sie fallen ihm auf die Schultern, er sagt: ›Can I be of help.‹

Sie lächelt freundlich, aber entfernt, wie immer, wenn sie nicht belästigt werden will.

Der Mann hängt seinen Arm über die Stuhllehne; er selber habe nämlich ein Haus. Sein Freund zupft ihm eine Blüte vom Revers. Der Freund ist ein rosiger Typ mit einer Hornbrille, deren Gläser so dick sind, daß die Augen dahinter zu pfefferkorngroßen Punkten werden.

Ich wußte sofort, von wem die Rede war.

Ich kannte die beiden. Ich hatte sie mehrmals in Årjäng auf dem Marktplatz gesehen. Es war nie viel los tagsüber in diesem Café, die beiden waren oft die einzigen Gäste.

Jeden, der in ihre Nähe kam, lockten sie mit Komplimenten geschickt an, bevor sie ihn mit atemberaubenden Beschreibungen ihres Hauses elektrisierten. Auf ihrer flüchtig entworfenen Skizze ging es auf direktem Weg vom Papier ins Paradies, und auch ich hatte schon angefangen, über indirekte Beleuchtung im Badezimmer und Stromsparlampen nachzudenken, obwohl ich weder ein Haus brauchte, noch mir eines hätte leisten können.

Ich hörte ihr jetzt genauer zu.

Sie sagte, sie sei erst mal ein Stück von den beiden abgerückt.

›Sie suchen an der Küste?‹ fragt der eine der beiden. ›Sie sollten nicht an der Küste suchen. Dort ist alles doppelt so teuer.‹

Er ist offensichtlich entzückt, daß sie nicht geht, daß sie so hartnäckig bleibt über ihren Karten. Den ganzen Morgen müssen sie darauf gewartet haben, daß etwas passiert, und dann kommt diese Frau, jung und allein.

›Hier kaufen die Norweger alles weg. Aber Sie! Sie sind wie geschaffen für diese Gegend! Diese Gegend hier ist genau das richtige für Sie. Erik‹, sagt er dann.

Er will ihr die Hand geben, aber sie trinkt erst aus ihrem Milchkaffeeglas, man muß wissen, sagte sie, in welchem Moment man die Requisiten, die man zur Verfügung hat, gebraucht, Moment und Reihenfolge, das ist das Wichtigste im Leben, die Inhalte wiederholen sich sowieso.

Er würde ein gutes Angebot machen, sagt der, der Erik heißt, falls ihr das Haus gefiele.

Hinter der Glasscheibe steht die Bedienung und sieht zu.

›Sie haben schon viele Häuser gesehen, nicht wahr, aber ich zeige Ihnen meines.‹

Er legt die Serviette vor sie auf den Tisch, sie ist bekritzelt mit Straßenabzweigungen und Seen.

›Da sitzen Sie neben mir auf dem Markt und wollen mir ein Haus verkaufen?‹

›Sie können immer noch nein sagen, wenn Sie es gesehen haben.‹

›Warum bieten Sie es nicht über einen Makler an?‹

Er lacht, auch sein Freund lächelt, die Pfefferkörner hinter den Gläsern zittern.

›Manchmal hat man Glück. Sie und ich‹, sagt der, der Erik heißt. ›Aber vergessen Sie nicht, ich verkaufe das Haus nur an jemanden, dem es wirklich gefällt. An jemand Besonderen. Wie Sie.‹

›Sie wissen doch gar nicht, was ich suche.‹

›Ich werde es wissen, wenn Sie es gesehen haben. Lassen Sie uns fahren.‹

›Jetzt?‹ Es ist später Nachmittag, sie wollte noch schwimmen.

›Morgen ist es zu spät‹, sagt er. ›Es ist nicht weit. Auf die E 18 in Richtung Fågelvik. Kennen Sie Fågelvik? Die Straßen sind schlecht da draußen, aber wir nehmen mein

Auto. Kommen Sie!‹ Der, der Erik heißt, lacht, er schlägt die Hände aneinander, als wäre die Linke die Hand eines anderen, mit dem er gerade einen Coup gelandet hat. ›Wir bringen Sie dann hierher zurück.‹

Das Licht fällt schräg über den Platz.

Sie ist die Frau, die am Nachmittag in einen grünen Jaguar steigt, es ist das auffälligste Auto auf dem Marktplatz von Årjäng, sie hat nicht auf das Nummernschild geachtet. Sie merkt sich den Sprung in der Windschutzscheibe, den Staub auf dem Lack, den weichen Klang des Motors und daß die Sitze aus schmutzigem hellen Leder sind. Sie merkt sich den Namen Erik und daß die Bedienung hinter dem Fenster die beiden Männer gesehen hat.

›An der Küste herrscht eine Schönheit, die jeder kennt‹, sagt der, der Erik heißt. ›Das ist nichts für Sie. Aber hier, das ist ein guter Ort, man wird nicht so schnell entdeckt.‹

Sie sagte, früher hätte sie Angst gehabt, wenn sie in eine solche Situation geraten wäre, dann hätte sie ihre Schlüssel in die Faust geklemmt. Man müsse darauf achten, daß die Spitzen steil zwischen den Fingern aufragen, sagte sie, und dann müsse man die Augen treffen, die Pupillen. Das Wort risikofreudig wolle sie hier allerdings nicht benutzen.

Sie war vom Steg aufgestanden.

Sie hatte mir erklärt, daß sie den, der sich ihr nicht vorgestellt hatte, jetzt insgeheim Pfefferkorn nannte.

Und mir war klar, daß sie über den Tisch gezogen worden war. Wenn sie das Haus tatsächlich von den beiden gekauft hatte, dann zu einem überteuerten Preis. Mir hatten sie damals eine unglaubliche Summe genannt, viel zu hoch für diese verblichene Eleganz.

Aber ich hatte ihr nichts davon gesagt. Ich wollte sie nicht enttäuschen.

Das Licht war schon grau. Es wurde Abend.

Der Jugendliche schlug jetzt zwei Akkorde nacheinander an.

Ich hob den Fußball auf, um ihn in den Schuppen zu bringen, damit er über Nacht nicht feucht wurde. Er lag zwischen angekohlten Zeitungsfetzen. Eine schwarze Spur zog sich über das Leder, jemand hatte etwas quer darüber geschrieben.

Ich schoß den Ball in Richtung Gartenschlauch. Aber die Schrift verblaßte nicht, es schien Edding zu sein, zur Beschriftung der Tonnen und Packsäcke wurden Stifte mit wasserfester Farbe gekauft.

›no gays!‹ stand da.

Ich trug den Fußball ins Küchenzelt, ich legte ihn direkt neben die Spüle. ›no gays!‹ stand jetzt kopfunten in Spiegelschrift auf dem Wasserhahn. Ich versuchte, die Worte mit einem Schwamm und Spülmittel abzureiben.

»Was soll denn die Scheiße? Was macht der Ball hier? Ich will wissen, wieviel von den Booten ihr in der nächsten Woche nicht braucht.«

»Hallo, Uwe«, sagte ich. »Die Boote machen Ralf und die anderen, die sind noch unten.«

»Und wofür bezahl ich dich?«

»Ich glaube«, sagte ich langsam, »im Moment bezahlst du mich dafür, daß ich mir deine schlechte Laune anhöre.«

Er trug ein Jeanshemd und Khakishorts, er mußte gerade erst angekommen sein, lief aber schon wieder auf Hochtouren.

»Ich würde dich feuern, wenn ich nicht gerade zu beschäftigt wäre«, sagte er. »Kannste den Gore-tex-Leuten auf Knien für danken! Und jetzt verschaff dir Arbeit, Mensch.« Er verschwand so heftig, daß er hängenblieb und der Reißverschluß, mit dem die Zelttür abends verschlossen wurde, riß.

Ich legte den Ball neben die Thermoskannen mit Kaffee. ›no gays!‹ leuchtete jetzt zweimal in temperaturresistentem Metallicblau.

Uwe hatte die Gore-tex-Leute mitgebracht. Ein Grüppchen Schweizer um eine Juniormanagerin. Sie versammelten sich am Raucher-Point, wo ein Aschenbecher der Deutschen Bahn auf einen Holzpfahl montiert war, sie trugen wasserfeste Schuhe und Sonnenbrillen, die mit einem Gummi am Hinterkopf befestigt waren. Sie kamen im Auftrag, sie hatten zu entscheiden, ob das Sponsoring eines Jugendcamps im Sinne ihrer Firmenpolitik war. Um ihnen das zu erleichtern, würde Uwe sie im Motorboot über den See fahren. Er machte Benzinkanister und Kurbelwelle vor dem Geräteschuppen klar. Sie legten Regencapes an, wahrscheinlich reisten sie grundsätzlich wasserfest.

Ich ging mit dem Ball hinter das Klohäuschen. Der Geruch aus den Trockenklos war durchdringend genug, um die anderen fernzuhalten. Ich nahm eine Bürste und Spülmittel und Sand, zwischendurch fing mein Herz an zu rasen, und ich mußte mich aufrichten und langsam atmen und abwarten, bis es sich beruhigte. Die Schrift ließ sich nicht entfernen.

Ich legte die Bürste weg. Ich sah mich da hocken. Während andere bedenkenlos und zu überteuerten

Preisen Häuser kauften und von ihren Ideen so begeistert waren, daß sie den Zustand der Häuser völlig vergaßen, ließ ich mich von zwei Worten aus der Fassung bringen.

Die Inhalte wiederholen sich sowieso, hatte sie gesagt.

Ich sah ihren Blick. Ich sah ihn deutlich vor mir, verträumt und von unten herauf.

Und später am Abend, als die anderen Feuer gemacht hatten und die Nacht um die reißenden Wolken am Himmel stand, als sie über Uwe redeten, der immer noch beschäftigt war mit seinen Gore-tex-Leuten, und diskutierten, ab wann Fundraising zum Anbiedern wurde, als Svenja sagte, *keine Sorge, das war für Uwe noch nie ein Problem*, als Ralf erklärte, bei Arschkriechern helfe nur die Regenschirm-Methode, *rein ins Loch und ordentlich aufgespannt*, später am Abend sagte ich:

»Habt ihr den Fußball gesehen?«

Man hörte die Grillen und in der Ferne Radios vom Zeltplatz der Dauercamper. Am Feuer reagierte niemand. Sabine stand auf ihren Stock gestützt, mit dem sie das Holz in den Flammen umschichtete, die Aufgaben waren sehr genau verteilt.

»Du warst doch den ganzen Nachmittag im Camp«, sagte Marco schließlich, er öffnete ein Bier.

Eine Kunststoffverpackung ging in Flammen auf und beleuchtete grell jedes Gesicht. Das Augenweiß schimmerte. Ich kannte sie alle, ich war jetzt vier Wochen hier, sie kannten mich. Jeder von ihnen hatte mich morgens, mittags und abends, zu jeder Tages- und Nachtzeit gesehen, jetzt sah mich keiner an.

»Tetrapaks nicht ins Feuer«, sagte Sabine automatisch.

»*No plastics.*« Sie stocherte mit dem Stock nach dem Rest der Verpackung und zog ihn heraus.

»*No gays!*« sagte ich. »Auf einem Fußball.« Ich kannte sie alle, jedes Gesicht, wie sie ins Feuer starrten oder in den Himmel oder auf einen Punkt, der nicht sichtbar war, der vielleicht in ihrem Inneren lag, jemand zündete sich eine Zigarette an, jemand spielte mit seiner Sandale, und alle tranken sie Bier. Bier war überhaupt sehr gefragt.

Ich wäre jetzt gern hinüber zu den Tipis gegangen, ich hätte mich auf die Isomatten gelegt, unter denen die Steine knirschten, und an nichts gedacht, ich ging nicht, ich sagte: »Gays nicht ins Feuer.«

Es kam mir vor, als würde ich zu ihr reden, zu dieser Frau im Kleid, als müsse ich ihr irgend etwas beweisen, ihr oder mir, ich redete wie im Halbschlaf, eine Stimme, die nicht ganz meine war, normalerweise hätte ich die Schrift ignoriert oder den Ball weggeschossen, träum weiter und tu so, als hätte das nie existiert.

»Vielleicht haben die Kids damit gespielt«, sagte Svenja. »Jetzt sei doch nicht so humorlos. Du weißt doch, daß hier alle gern gesehen sind, Schwarze, Weiße, Indianer, Dicke, Dünne, oder ist dir schon mal aufgefallen, daß jemand was gegen dich persönlich hat?«

»Bleib mal cool«, sagte auch Ralf, »wenn da jemand Scheiße draufgeschrieben hat, kriegen wir die auch wieder ab.«

Es wurde schon Morgen, als er ins Tipi kam.

Die Steine knirschten. Er ging leise, er wich der Feuerstelle in der Mitte des Tipis aus. Groß strich sein Schatten hinter ihm über die Zeltwand. Die Asche in der Feuerstelle glühte auf im Windzug, der durch die Zelttür kam. Er öffnete den Reißverschluß meines Schlafsacks. Er fuhr mit der Hand unter das Futter, zog das Einknöpflaken weg, während ich noch träumte. Ich träumte, ich stünde ganz oben auf dem Fjäll, bereit zum Flug, und spürte seine Finger auf der Brust und wie er den anderen Arm unter das Kopfteil schob, unterhalb des Fjälls standen Svenja und die anderen, sie hielten die Köpfe gereckt, als käme etwas aus dem Himmel auf sie zu, das war ich, als ich abhob, als ich mich aufrichten konnte.

»Schscht, ganz ruhig.« Ralf flüsterte. »Mach kein' Scheiß.« Er war stark und roch frisch rasiert, ich schob seine Hand weg. »Komm schon, es wird dir gefallen. Das hat mir dein Blick gesagt.« Er versuchte, sich in den Schlafsack zu drängen.

Er hatte keine Hosen an. »Du bist doch nicht spröde, oder was«, flüsterte er, es war eine weiche Stimme, als spräche er mit einem Kind, er drückte sich an mich, sein T-Shirt kam in Berührung mit meinem Mund. »Na komm. Ich hab schon ganz andere Kaliber gehabt. Wahrscheinlich bist du noch Jungfrau, was das angeht, was?«

Ich sah seinen Umriß über mir, ein Umriß, der schwankte, das Fjäll, das Camp, die ganze Welt bestand plötzlich aus Umrissen, aus Resten von Licht, ich stürzte hinab, ich schlug auf, endlich wurde ich wach.

»Sscht, du machst noch die anderen – Jetzt hab dich nicht so!«

Es dauerte noch Sekunden, ehe ich die Taschenlampe neben der Isomatte fand. Ich schlug mit der Lampe zu, ins Kreuz, auf den Hals, ich wußte nicht, wo ich traf. Dann stöhnte er, er gab nach. Ich schob mich unter ihm weg.

In den oberen Spitzen der Kiefern hing schon Licht.

Die Luft schmeckte nach Salz.

Ich war immer sicher gewesen, daß mir das nie passieren würde, und es war mir noch nie passiert, und die, der es jetzt passiert war, war meilenweit von mir entfernt.

Ich stand eine Weile da. Ich sah zu, wie die Umrisse des Schuppens langsam sichtbar wurden.

Dann ging ich hinüber zu Svenjas Zelt. Ich zog den Reißverschluß auf und kroch ins Vorzelt.

Ich sagte: »Ralf. Der liegt drüben im Tipi. Es ist was passiert.« Ich weinte.

Svenja legte mir eine Hand auf die Schulter. Sie zog mich an sich. Sie hielt mich, sie flüsterte, sie schlief selbst noch halb. Erst jetzt fingen meine Beine an zu zittern. Der restliche Tag verging so, später wurde es etwas besser.

Die anderen verbrachten den Tag am See. Die Firma hatte sich für ein Sponsoring entschieden, und die Hälfte der Boote wurde abtransportiert. Sie zogen die Kanus vom Hangar und trugen sie die Uferböschung hinauf, den Bootsanhänger hatte Uwe in Årjäng besorgt, *diese Halsabschneider, wollen einen nackt machen mit ihrem Scheißmonopol*, aber es war ein Pro-forma-Geschimpfe, und keiner gab etwas darauf.

Später würde auch die andere Hälfte abtransportiert werden, bis schließlich an den Außenseiten aller Kanus in schwarzem Schriftzug ›Gore-tex‹ stand.

Ralf hatte sich entschuldigt. Nachdem Uwe abgereist war. Neue Zelte wurden geliefert, ein Wildschweinrudel war in der Nähe gesichtet worden. Es waren Frischlinge dabei, es hieß, die Säue seien aggressiv.

Ralf war aus dem Tipi gestürzt, bevor Svenja ihn fand.

Ich war in ihrem Zelt geblieben, den Kopf auf das Fußende ihres Schlafsacks gelegt. Sie hatte mich den ganzen
Tag dort bleiben lassen, nur einmal kam sie vorbei, um
mir zu berichten, daß Ralf erst hinüber zur Waschstelle
gelaufen sei und den Kopf unter Wasser gehalten habe,
um eine Beule am Hinterkopf zu kühlen, dann sei er mit
einer Säge auf mehrere Baumstämme losgegangen, und
jetzt habe sie ihn schon mehrere Stunden nicht mehr gesehen. Sie habe ihm eine Verwarnung erteilt.

Aber später, als ich aufstand, um schwimmen zu gehen und im Wasser kühler und klar zu werden, wußte
ich nicht mehr, ob sie mir das tatsächlich berichtet hatte
oder ob es nur die Einbildung aus einem tauben Wach-
traum war. Ich fragte die anderen, aber sie wußten von
nichts. Ich hatte den Eindruck, sie wußten noch nicht
einmal von dem, was vorgefallen war, und dabei wußten
sie sonst immer alles.

Als ich Svenja danach fragte, schnaubte sie mich beleidigt an. »Sag mal, traust du meinem Führungsstil
nicht?«

Ralf blieb zwei Tage verschwunden.

Nur Sabine hatte abends und abseits der anderen gesagt, *na ein Glück, dann ist bei dir ja alles noch mal gut gegangen.*

Ralf hatte sich entschuldigt. Nach zwei Tagen hatte er zu
mir gesagt, er wisse es nicht, er müsse betrunken gewesen sein, verwirrt irgendwie, er wisse es wirklich nicht,
etwas habe da ausgesetzt, er sei eben auch nur ein Tier.
Er hatte das abgespult und war im Geräteschuppen verschwunden.

Svenja bestand darauf, daß ich eine Auszeit nahm.

Mach 'ne Pause, sagte sie, *dann verkraftest du das schon, du mit deiner Konstitution*, sie versuchte, mich zu umarmen, was mißlang.

Ich ging ins Dorf.

Ich lief langsam. Ich hatte immer noch dieses taube Gefühl hinter den Schläfen. Auch nachts hielt es an. Ich konnte nicht schlafen. Es war, als hätte jemand einen Ring um meinen Kopf gespannt. Unter dem Ring kreisten immer dieselben Gedanken.

Dort war Ralf. Und hier war ich. Und es hatte keinen Sinn, sich zu fragen, was zwischen diesen beiden Polen tatsächlich abgelaufen war. Ob er mich schon von Anfang an zum Gegenstand seiner Phantasien gemacht hatte.

Phantasien, die er spätnachts im Schlafsack mit sich und seinem Körper ausgelebt hatte, bis ihm das nicht mehr reichte. Phantasien, von denen ich nichts wußte.

Und selbst wenn er Andeutungen gemacht hatte, die ich nur nicht bemerkt hatte, war damit noch nicht geklärt, warum er ausgerechnet jetzt die Phantasien auszuleben versucht hatte. Es hatte keinen Sinn, sich das zu fragen, denn ich hätte keine Antwort gewußt.

Ich konnte es mir nicht erklären. Vielleicht hatte es mit diesen Morgen am Zelt zu tun, vielleicht haßte er es, daß jemand von seiner Tochter wußte. Vielleicht war seine Erwartung, ich würde mich revanchieren, irgendwann so groß geworden, die Enttäuschung so brennend, daß er dem mit Gewalt ein Ende setzen wollte.

Es hatte keinen Sinn, sich das alles zu fragen, weil jede Rechtfertigung, die mir einfiel, irgendwie lächerlich war.

Ich folgte der Straße am Ufer entlang ins Dorf. Sie

71

führte am Zeltplatz der Dauercamper und an der Schleusenbrücke vorbei, an der links der Lelång begann mit wenigen vorgelagerten Inseln. Im Rentnerheim am Ortseingang hingen Sterbelisten aus.

In Lennartsfors bog ich in die Auffahrt ein, die zur Tankstelle und dann zum ›Lanthandel‹ führte, ein kleiner Supermarkt, der im Sommer von Kanuten überlaufen war.

Dort saß sie.

Sie saß auf einer Bank.

»Schmoll!« rief sie. »Wissen Sie eigentlich, daß ich warte? Ein ganzes Jahrhundert.« Sie wickelte ein Stieleis aus. »Mindestens. Zu dumm, daß es hier keine Telefone gibt.«

Ich setzte mich neben sie.

»Aber es ist hier auch sehr schön«, sagte sie und biß in ihr Eis. »Eine magische Gegend. Und sie wird schöner, je länger man wartet.«

»Ich kann Warten nicht leiden. Immer muß man warten, überall muß man warten, alle warten immer auf irgend etwas.«

»Nicht auf irgend etwas«, sagte sie.

»Hast du auf mich gewartet?«

»Ja. Ein schönes Hemd tragen Sie.«

»Immer noch so schwärmerisch, was«, sagte ich schlapp.

»Jetzt machen Sie sich lustig«, rief sie und hielt mir ihr Eis hin. »Hier. Möchten Sie mal?«

»Das ist kein Hemd. Das ist ein T-Shirt.«

»Aber Schmoll! Sie sind ja ganz durcheinander!« Sie wollte mir die Hand an die Stirn legen, aber ich wehrte ab.

»Ich brauch was zu trinken«, sagte ich. »Hier soll es so einen Laden geben. Für Alkohol.«

»Systembolaget«, sagte sie. »Gleich hinten im Lanthandel. Aber gehen Sie nicht allein. Ich werde auch einen Alkohol kaufen. Welchen Alkohol brauchen Sie denn?«

Wir gingen in den Laden, sie lief einen halben Schritt vor mir, sie streifte im Vorbeigehen Chipstüten, Verpackungen von Cornflakes, Waschmittel.

»Schönes Kleid«, sagte ich. »Sind das Bälle oder Blüten.«

»Bienen! Nein. Blätter? Oder: Ballons. Binsen. Böller! Was gibt's noch mit B? Na ja, ich wette, Sie mögen rot«, sagte sie vor dem Weinregal. »Obwohl vielleicht ein weißer Alkohol für Sie heute besser wäre, was meinen Sie?«

Ich nahm einen Bordeaux heraus, er war zu teuer. »Hast du sonst nichts zu tun, als da draußen zu sitzen und zu warten?«

»Haben Sie schon mal gewartet?« fragte sie.

Ich nahm Weine aus dem Regal und schob sie wieder zurück.

»Ich mag, wie Sie sind«, sagte sie plötzlich und drehte sich um. »Nie können Sie sich entscheiden.«

»Dann ist es ja gut, daß du da bist«, sagte ich, und meine Stimme kam mir übersteuert vor, wie im Verstärker verzerrt. »Dann kannst du mir dabei helfen.«

»Sie freuen sich also, mich zu sehen?«

Auf dem Weg hierher hatte ich die Taubheit nicht überwinden können. Ich hatte es versucht. Ich hatte mir alles noch einmal genau vorzustellen versucht.

Dort war Ralf. Dort war sein Oberkörper. Sein Arm. Dort war sein Herumtasten im Dunkeln. Das scharfe Aftershave. Sein Gewicht und die Augen.

Und hier war die Stabtaschenlampe, sie lag neben der Matratze. Hier war die Hitze, die mir durch den Körper schoß. Und ich dachte: Du kennst ihn doch. Hier war auch das Zögern. Nur für den Bruchteil einer Sekunde hatte ich gezögert. Ich hatte gezögert, als er eine Hand an meine Wange legte und mein Gesicht zu sich drehte, und zwar sanft.

Hier entstand auch die Vermutung, daß ich vielleicht vorher schon, an den Morgen vorm Zelt, durch so ein Zögern mißverständlich aufreizend gewesen sein könnte. Daß sich etwas in mir sogar darin gefallen haben könnte, aufreizend zu sein. Die Frage war nur, wie mir das so hatte entgehen können.

Ich war die Taubheit auf dem Weg hierher nicht losgeworden. Jetzt aber, vor dem Weinregal, ließ sie mich diese Nacht für einen Moment vergessen, mein Kopf wurde frei, es gelang ihr mit erstaunlicher Leichtigkeit.

Sie war sprühend, sie lachte mich an, und als ich eines der Sixpacks vom Bierstapel nahm, ging es mir besser.

Der Kassierer sagte: »May I see your ID, please, as this is alcohol.«

Er war Mitte Fünfzig, einer der Stadtmenschen, die nur zum Arbeiten hier draußen waren. Ich hatte meinen Ausweis nicht dabei.

»Ohne Ausweis kein Alkohol. These are the rules. Kein Alkohol unter 21.«

»Man sieht doch wohl, daß ich erwachsen bin!«

»I'm sorry«, sagte er, nahm das Bier vom Band und stellte es hinter sich in ein Regal. »Next time you bring it. Then you'll get the beer.«

»Sehe ich aus wie dreizehn?«

Er zuckte die Schultern.

»Was, wenn sie es kauft«, sagte ich.

»Same thing«, sagte der Kassierer. »I have to see her ID. She looks young.«

Sie stand vor der Eistruhe und sah mich an. »Die haben Zitroneneis, Schmoll, gucken Sie mal!« Sie hielt eine Verpackung hoch. »Bitte, darf ich Ihnen ein Eis schenken? Ich finde, daß das sowieso viel besser zu Ihnen paßt.«

»Von Eis wird man nicht betrunken.«

»Aber Sie können betrunken werden von was immer Sie wollen«, rief sie. »Nie glauben Sie mir, aber manchmal sehen Sie wirklich wie dreizehn aus, und jetzt schmeißen Sie nicht so die Tür! Sie sind nämlich bestimmt schon mindestens ein Jahr älter.«

»Für jeden Scheiß ist man alt genug, aber dann verkaufen sie einem nicht mal Bier!«

»Vierzehn. Aber Sie sehen nicht so aus.«

»Mich kotzen diese Typen an!«

»Sie hören mir nicht zu, Schmoll«, sagte sie. »Sie hören mich nicht.«

Draußen stand die Sonne schräg über dem Dach, Jugendliche ließen ein Auto an, einen Chevrolet mit einem riesigen Spoiler, ein Modell aus den Sechzigern, ich versuchte, ruhig zu sein. Mitzuhalten mit dieser schwedischen Nachmittagsgelassenheit. Ich spielte mit der Miniatur-Glühbirne, ich ließ das Rädchen des Feuerzeugs Funken schlagen, *Weiterleuchten!* blinkte unter der hervorschießenden Flamme.

Wir gingen an der Tankstelle vorbei, den Hügel in Richtung Lelång hinunter, wir erreichten die Kreuzung. Ihr Kleid war kurz, es bedeckte kaum ihre Oberschenkel. Ich wünschte, sie trüge eine Hose. Ich sah meine Hand dort, wo das Kleid endete, ich sah die Bewegung der Hand und alle Hände zuvor, ich sah meine Hand mit den Blicken der anderen, Ku'damm-Blicke, auch Ralfs Blick war darunter.

»Und was soll das überhaupt«, sagte ich, »daß du mich ständig Schmoll nennst?«

Sie lachte. »Sie sind heute aber auch wirklich schwerhörig.«

»Ist das einer, den du im Fernsehen gesehen hast? Und der Name hat dich beeindruckt –«

»Ach«, sagte sie.

»Oder ist Schmoll einer, in den du verliebt gewesen bist?«

»Woher wissen Sie das?«

»Woher ich das weiß?«

»Ja. Woher wissen Sie, ob ich es Ihnen überhaupt erzählen will?«

»Keine Ahnung. Deshalb frag ich ja.«

»Wenn ich es mir aussuchen kann, dann will ich es nicht erzählen.«

Die Schleusentore hatten sich geschlossen. Das Wasser wurde an den Seiten des Betonbeckens abgepumpt, die Boote senkten sich. Die Kanuten hielten sich an der glatten, bemoosten Schleusenwand fest, alle paar Zentimeter mußten sie mit den Händen nachgreifen.

»Hat dieser Schmoll –«, sagte ich und hatte das Gefühl, den Namen zwanghaft wiederholen zu müssen. »Dieser Schmoll, hat er versucht – Ich meine: Ist was passiert?«

Sie war stehengeblieben. »Warum denken Sie sich immer gleich das Schrecklichste aus?«

»Es ist die beste Art, sich davor zu schützen. Nehme ich an.«

»Ihre beste Art vielleicht«, sagte sie. Sie schaute zu Boden, sie stand keinen Meter von mir entfernt, das Unkraut schoß zwischen den Steinplatten hervor, trockene, gelbe Halme, niedergetreten von Füßen in Bootsschuhen. »Sie glauben doch nicht im Ernst, daß Sie damit auf der sicheren Seite sind?«

»Ich bin ja kein Idiot.«

»Nein, das sind Sie nicht. Sie hören mir nur nicht zu«, sagte sie. »Aber Sie werden es eines Tages tun. Schmoll.«

»Können wir noch mal dahin?« fragte ich dann. »In dein Haus?«

Sie hob den Kopf, sie begann sehr langsam zu lächeln. Wir hatten das Ufer erreicht, ein Boot lag dort, eines der gelben aus Glasfiber, die weiter unten am Foxen von einem jungen Schweden vermietet wurden.

»Du bist mir auch noch den Rest schuldig. Wie das mit den beiden Männern ausgegangen ist. Mit diesem –«

»Erik?«

»Ja. Im Jaguar. In Fågelvik. – Und«, sagte ich vorsichtig, »was du eigentlich bezahlt hast. Für das Haus.«

Sie ging am Boot vorbei, sie streifte ihre Sandalen ab, sie richtete sich auf.

»Wissen Sie, was am gefährlichsten ist?« sagte sie. »Am gefährlichsten ist zuviel Licht!«

Sie ließ die Sandalen fallen, sie rannte zum See. »Lassen Sie uns baden gehen, kommen Sie, gehen wir schwimmen. Für alles andere ist es viel zu heiß!«

»Was denn für Licht«, rief ich.

Die Kanuten hatten die Schleuse passiert, sie mußten jetzt auf dem tiefergelegenen Lelång sein, wo sich das untere Schleusentor unter gleichmäßig herabströmendem Restwasser schloß, ich hatte es unzählige Male beobachtet, jetzt beobachtete ich sie, dieses Mädchen im Kleid, das kein Mädchen war, den Stoff über die Oberschenkel hochgezogen, sie watete ins Wasser, von mir weg, sie drehte sich um.

»Das Licht«, sagte sie, »ist immer dasselbe. So oder so.« Und mit jedem »so« ging sie ein Stück weiter, der See wurde schnell tief. Sie mochte es, in Kleidern zu baden, sie erzählte mir von einem Besuch in Ägypten, wo man im Kaftan ins Wasser gegangen war, die Form, in der man etwas tut, sagte sie, darauf kommt es an, sie war mit ihren Eltern in Alexandria gewesen, das war das einzige, was ich über ihre Familie erfuhr.

»Das Licht legt sich unter die geschlossenen Lider. Das haben Sie doch beobachtet. Manchmal kann man es meiden, aber wenn es da ist, drängt es sich darunter, es zwingt seine Klingen in den Kopf. Habe ich Ihnen das nicht gesagt?« rief sie. Sie stand bis zur Hüfte im See, niemand war in der Nähe, man hörte uns nicht, es war keine Stelle, an der man baden ging.

»Neben mir steht ein hellhaariger Junge«, sagte sie. Am gegenüberliegenden Steg machte ein Kutter fest, das ganze Ufer lag in der Sonne. »Es heißt, er sei mein Freund, aber er ist auch mein Kind. Wir stehen vor einem unbewohnten Haus mit zerborstenen Fensterscheiben, vor dem Haus liegt Sand, Sand und zerbrochenes Porzellan, weiter weg stehen Menschen, sie wollen etwas von mir, ich weiß nicht, was. Hören Sie zu? Die Menschen schauen auf den Jungen und mich. Im Sand vor dem Haus steht eine verrottete Karosse, grün. Aber bevor ich erfahre, was die Menschen wollen, muß ich fliehen. Die Dinge sind hinter mir her. Keine Ahnung, was das bedeutet. Sie sehen aus wie Betonplatten, aber sie schweben. Wenn die Dinge Menschen berühren, versteinern auch die Menschen. Ich fliehe durch eine Landschaft, da ist keine Siedlung, nur Bäume, Erde, Sträucher, es ist kühl, Frühwinter. Ich habe ein kurzes Kleid an, keine Schuhe, ich friere. Das Kind ist bei mir. Der Junge. Er ist drei, vielleicht vier, sehr schmächtig. Er darf nicht in Kontakt mit Sonne kommen, sonst stirbt er. Ich halte ihn an der Hand und renne. Die Dinge sind hinter mir her. Sie fliegen nicht schnell. Sie bleiben dicht hinter mir, ich muß Umwege machen, Steine liegen im Weg, umgestürzte Bäume. Ich weiß, daß die Dinge zu Boden fallen, sobald es dunkel ist.«

Sie strich mit ihrer flachen Hand über das Wasser, sie zog die Oberfläche glatt.

»Irgendwann bin ich erschöpft. Vor mir ein Fluß. Eine Weide. Ich schiebe die Zweige zur Seite und krieche in den fahlgrauen Raum. Ich setze das Kind auf die Erde. Es ist schwach. Es schaut mich an, große, helle Augen. Aber dann, hören Sie, Schmoll, in diesem Moment weiß ich, daß Sie das waren, Sie waren das, dieses Kind sind Sie. Es hat Ihre Augen. Es spricht nicht, es ist zu schwach zum Sprechen, es atmet, fliegender Atem, der Junge beschwert sich nie. Er klammert sich an meine Hand und rennt. Er fragt nie, warum wir immer wegmüssen, er weint nie. Er weiß sofort, daß es kein Spiel ist. Wenn ich sage: Wir müssen weg, greift er nach meiner Hand, und wir rennen. Wenn er nicht mehr laufen kann, hebe ich ihn hoch und renne weiter. Jetzt sitzt er auf dem Boden, kurze Hose, gelbes T-Shirt, er ist barfuß. Die Zweige hängen tief, die Sonne versucht durchzudringen, schafft es nicht, die Erde ist feucht. Wir werden erfrieren, wenn wir hierbleiben. Aber hier können die Dinge nicht herein, weil es dunkel ist, und wir müssen bis zur Nacht warten, dann fallen sie zur Erde. Menschen gibt es keine. Das Kind ist so entkräftet, daß es nicht sitzen kann, es schwankt, lehnt sich gegen mich, ich nehme es auf den Schoß, es zittert und legt die Arme um meinen Hals und schmiegt sich an, es ist so kalt hier, ich friere. Ich summe. Habe ich Ihnen das nicht gesagt.« Es war keine Frage. »Es ist ein Traum. Seit ich Sie kenne, einer von den schlimmsten.«

»Was du sagst, klingt, als ob ich betrunken bin.«

»Sehen Sie. Ich habe es Ihnen versprochen.« Sie lachte, sie tauchte kurz unter. Das Licht fiel jetzt in langen Strichen über das Wasser. Es wurde spät. Aber ich mußte nicht zu einer bestimmten Uhrzeit im Camp sein, ich mußte heute überhaupt nicht mehr im Camp sein.

Ich lachte auch. Ich lachte über sie und über mich und wie ich mit dieser unmöglichen Haltung am Ufer stand, schief vorgelehnt, um nichts zu verpassen.

Drüben vom Kutter aus würden zwei Frauen zu erkennen sein, von denen die eine im Wasser stand, ihre langen Haare naß. Die andere am Ufer zögerte noch, liefe angekleidet am Strand hin und her, zöge dann ihre Turnschuhe aus, das T-Shirt, so daß ein Sportbikini sichtbar würde. Ich zögerte noch, der Freund und Geliebte, das Kind und Schmoll ergaben keinen Sinn, es war ein Geständnis, es schien, als verweise es auf irgend etwas.

»Was ist«, rief sie. »Es ist viel zu heiß. Wollen Sie nicht schwimmen?«

Sie war weit draußen, als ich ins Wasser kam.

Am nächsten Morgen wollten die anderen das Camp verlassen. Es hieß, daß sie nicht mehr konnten oder nicht mehr wollten, nicht mehr diesen Dauerstreß, die Materialknappheit und den ständigen Lebensmittelbeschiß, *kein Wunder, daß einer durchdreht*, sie standen am Waschplatz, wo früh noch der meiste Schatten war. Dünnhäutig standen sie unter den Kiefern, wie abziehbar von der grauen Luft, sie standen vereinzelt und entfernt im Licht, das an diesem Morgen schwer, wie flüssig gewordenes Metall aussah, ich dachte, daß alles vorübergehend sei, vielleicht würde es nur ein Gewitter geben.

Sie grüßten mich nicht. Sie zurrten den Gummizug an ihren Hosenbeinen fest, sie waren aufgebracht. Wilfried fummelte an seiner Scoutjacke herum, und dann sagte jemand, sogar das Brot sei Beschiß, *das schnallen die Kids sofort, daß das Dosen-Brot älter als sie selber ist*, das ginge ihm langsam auf den Sack, *wirklich geniale Idee, NVA-Brot von '86 aufzukaufen*, nur Ralf könne so was gefallen, aber Ralf war an diesem Morgen nicht da.

Ich ging duschen. Als ich zurückkam, hörte ich, wie Svenja sagte, daß sie das Camp für einen Tag dichtmachen wolle, Uwe würde nichts erfahren, *und wir lassen mal richtig die Sau raus*, sagte Sabine, ein Satz, der nicht zu ihr paßte. Aber sie durfte nicht mitkommen. Svenja ordnete an, sie müsse im Camp bleiben, und ich spürte Sabines Blick. Sie wollte, daß ich bei ihr bliebe. Aber das Camp war eng geworden, eng wie die Wohnung in Halberstadt.

Als ich mein Portemonnaie aus dem Tipi holte, stieß ich auf Ralf. Er hatte sich einen Platz am Waldrand gesucht. Er saß auf einem Baumstumpf, den Ball auf den Knien. Zunächst sah es aus, als wollte er mit Gewalt die Luft herauspressen, aber er hatte einen Lappen in der

Hand. Er spuckte auf das Leder, während er fest darüberrieb.

Als er sich umdrehte, machte ich gar nicht erst den Versuch zu verschwinden.

Wir starrten uns an.

Dann sagte er: »Was 'n?« Er löste sich aus seiner Starre, hieb den Ball mit der Faust in meine Richtung und sprang auf. »Das ist ja wohl dein Job, oder?«

Die anderen hatten das Küchenzelt mittlerweile zugemacht. Vor dem Geräteschuppen hing ein Vorhängeschloß, und Svenja stellte die Alarmanlage an.

Sie nahm Wilfried und mich nach Årjäng mit, wo es ein paar Läden gab. Ich war froh, daß Ralf zu Marco ins Auto stieg. Wohin sie wollten, erfuhr ich nicht.

Wir gingen zum Kleinbus, Svenja setzte sich ans Steuer.

»Wir sollten das öfter machen«, sagte ich und setzte mich auf den Beifahrersitz. »Wir könnten heimlich rausfahren und auf einen der illegalen Plätze gehen.«

»Da kannst du kein Feuer machen«, sagte Wilfried von hinten, »wenn du illegal campst.«

»Du bist doch der Profi«, sagte Svenja.

»Keine Chance«, sagte Wilfried. »Die riechen das Feuer, die Schweden. Die hocken irgendwo im Wald in ihren Freizeithäuschen, ›Fritidshus‹, und dann biste geliefert.«

»Uwe sagen wir, wir machen einen Selbsterfahrungstrip, oder besser, dann sagt das Sabine.«

»Selbsterfahrungstrip«, sagte Svenja. »Laß das bloß Ralf nicht hören.«

Ich sagte nichts.

»'tschuldige«, sagte sie. Im Kleinbus war es heiß, Fliegen klebten innen am Plastikdach, jemand hatte sie mit breiter Handfläche zerquetscht. »Weißt du«, sagte Svenja nach einer Weile, »ich glaube, das war heilsam. Für ihn. Das hatte gar nichts mit dir zu tun. Der brauchte das. Der rennt doch total verkrampft hier rum. Haste doch gesehen. Das ist schon seit Jahren so. Ich meine, wann war die Wende? Und siehste, seitdem ist der eine einzige Verkrampfung. Du mußt dir das vorstellen, wie wenn ein Muskel eingeklemmt ist. Du kannst dich nur eingeschränkt bewegen, sonst tut's weh. Deshalb dieses Wischi-waschi, du hast doch nie gewußt, woran du bei ihm bist. Und irgendwann kulminiert das. Da staut sich eine solche Spannung an, daß du eine völlig übertriebene Bewegung machst. Aber der Muskel kommt dann endlich frei.«

»Ist das noch Grundstudium«, sagte ich, »oder bist du schon bei der Doktorarbeit?«

»Du kommst da drüber weg. Ich sag's dir! Und du hast ja jemanden hier, oder?« sagte Svenja. »Die kann dich doch trösten.« Sie sah geradeaus. »Oder wie ist das.«

Die Straße zog sich in engen Spiralen durch den Wald, hauptsächlich Tannen. Rechts tauchte ein See auf.

»Hast du sie noch nicht verführt«, sagte sie leise.

»Würdest du sie denn verführen?« fragte ich genauso leise.

Die Straße war breit, mit einem Ausweichstreifen für langsame Fahrzeuge, vor einer Weile hatten wir einen Holztransport passiert, sonst war niemand unterwegs.

»Selbst wenn ich wollte«, sagte sie, »woher würde ich wissen, ob sie will.«

»Du sagst einfach, hey, baby, und fragst sie, ob sie mit dir schlafen will. Aber nur außerhalb vom Camp.«

»Hat sie schöne Titten?« fragte Svenja.

»Keine Ahnung, weißt du, ich guck mir lieber schöne Hintern an.«

Die Straße führte bergauf, man hörte, wie der Motor abflachte, der Steigung nachgab, sie mußte schalten.

»Warum habe ich eigentlich keine Angst vor dir«, sagte sie dann.

»Weil du hetero bist.«

»Ich habe Phantasien.«

»Siebzig Prozent aller Heterofrauen haben solche Phantasien.« Ich kurbelte das Fenster herunter, ich hielt meine Hand in den Wind, ich hatte diese Gespräche schon tausendmal geführt. »Die Phantasien sind das, was dich sicher macht.«

»Siebzig Prozent«, sagte Svenja und beobachtete Wilfried im Rückspiegel. »Das ist ja enorm. Ist das erwiesen, hat jemand eine Umfrage gemacht?«

»Man kann es überall lesen.«

»Siebzig Prozent von was?« fragte Wilfried, der Motor war laut, Svenja antwortete nicht.

»Aber zugegeben«, sagte sie dann, »obwohl ich diese Phantasien habe, habe ich keine Angst vor dir.«

»Sag ich doch.«

Sie schwieg wieder, was gut war.

Wir kamen zur Mittagszeit nach Årjäng auf den Markt, das Café hatte geschlossen. Die Markisen waren heruntergelassen. Über den weißen Tischen schwamm eine Hitzeschicht. Instinktiv sah ich mich nach den beiden alten Männern um, aber der Marktplatz war menschenleer.

Wir standen herum. Svenja und Wilfried neben mir, nicht sehr nah, Svenja zündete sich eine Zigarette an, sie hatten nichts Wesentliches zu sagen, der Kiosk war geschlossen.

»Welcome to ghost town«, sagte ich, »wie Sabine jetzt sagen würde.« Niemand antwortete, und ich dachte an diese Frau am See, an das Mädchen in ihren Kleidern, und das, dachte ich, war wesentlich.

Ein Eis am Stiel.

Sie träumt von einem vierjährigen Jungen, und die Dinge sind hinter ihr her.

Die Dinge waren wesentlich. Schmoll und dieses Haus und daß sie lachte wie ein Kind.

Sie war aus dem Wasser aufgetaucht, hatte mich um den Hals gepackt und mit ihrem nassen Mund dicht vor mir lachend gesagt: »Schmoll, Sie Alleskönner, retten Sie mich.«

Die Frage war, wovor.

Die Tage in Årjäng glichen sich. Sie war in diesen Jaguar gestiegen, zu Erik und dem, den sie Pfefferkorn nannte, sie war schön. Das würde den beiden nicht entgangen sein. Sie waren mit ihr nach Fågelvik gefahren. Eine einsame Straße, hatte sie erzählt. Es war eine Schotterpiste, ich kannte sie. Sie führte zwischen Feldern hindurch, über weite Strecken wohnte dort kein Mensch. Der Jaguar war mit Zentralverriegelung ausgestattet gewesen, und Pfefferkorn hatte die Türen bei ihrer Abfahrt verschlossen.

Jetzt standen auf dem Parkplatz nur unser Kleinbus und ein Oldtimer in grellem Blau mit gewienerten hohen Flanken. In der Luft hing ein starker Geruch nach Teer.

Wilfried schirmte die Augen ab, seine Survival-Weste stank, das fiel erst hier, im Zentrum einer glänzend gefegten Kleinstadt, auf. »Ich brauch Briefmarken«, sagte er. »Für meine Frau. Ich geh mal rüber.« Auf der gegenüberliegenden Straßenseite gab es eine Post, Svenja schloß sich ihm an.

Ich war froh, daß sie mich allein ließen. Ich stand eine Weile neben dem Café herum, vielleicht machte es irgendwann auf. Ich ärgerte mich, die beiden Männer damals nicht ausgefragt zu haben.

Drüben ging ein Mann auf das Kaufhaus zu, mittleres Alter, ich folgte ihm. Ich ging dem Fremden in die Herrenabteilung nach. Ich blieb wie er vor den Hemden stehen. Er zog einen Ärmel heraus, klappte ein Preisschild um, strich eine Kragenecke glatt.

Ich mag Ihr Hemd.

Ich fing an, ebenfalls die Hemden durchzugehen, die meisten waren gestreift, ich verstand nichts von den Größen. Bisher hatte ich alles getragen, so lange es schlicht und geradlinig geschnitten war. Klamotten von ›Humana‹, die Pullover meiner Brüder, aus denen sie herausgewachsen waren, später geliehene Hosen und Jacken von einer Geliebten, die ich zurückzugeben vergaß. In Halberstadt fiel man im grünen Parka immer noch am wenigsten auf.

Ich mag Ihr Hemd, hatte sie gesagt.

Ich tippte auf Größe XS. Ich sah mir die Farben an, blätterte Bügelhalter durch, bemerkte Unterschiede bei den einzelnen Schnitten. Ich überlegte, was meine Brüder trugen: Kragenweiten, Armlänge, ›buttoned down‹. Ich entschied mich für kurzärmelig. Ich griff ein blaugestreiftes Hemd heraus, ich hielt es mir vor die Brust. Als der Mann zu mir herübersah, gab ich vor, Webfehler zu suchen, und verschwand dann schnell in einer Kabine. Ich schloß den Vorhang und zog das Hemd über.

Die Streifen liefen schräg über Rücken und Brust.

Die Streifen waren nicht das, was die Veränderung verursachte. Die Streifen schlossen an Schulter und Hüfte ab, wie sie sollten, das Hemd paßte.

Und die Veränderung war erstaunlich.

Sie war nichts Großes, sie bestand nur in einer Verschiebung, als wären ein paar Details vertauscht oder zurechtgerückt oder als bilde sich ein Körper in mehreren Umrissen ab, von denen aber nur einer aktuell sichtbar wäre, und die Sichtbarkeit wäre abhängig von der Behauptung. Und dieses Hemd war nichts als eine Behauptung.

Ich stand in der provisorischen Umkleidekabine eines Kaufhauses, in dem sie alles verkauften, Klamotten und Gartenstühle und Lachs, und ich sah auf einmal tatsächlich wie ein Junge aus.

Vierzehnjährig. Mitten in der Pubertät.

Das Hemd veränderte mein Gesicht. Das, was vorher sportlich, vielleicht auch herb an mir gewesen war, veränderte, weil es plötzlich eine neue Bedeutung bekam, seinen Ausdruck. Ich wurde weicher.

In diesem Jungenhemd wirkte mein Körper zart. Fast anschmiegsam. Ein offenes Gesicht, ein Haarschnitt, der auf einmal wie der typische Viereck-Stil der Schweden aussah.

Vielleicht hatte mir der Verkäufer in Lennartsfors deshalb kein Bier verkauft. Ich war unaufmerksam gewesen, noch halb taub von Ralfs Übergriff, vielleicht hatte der Verkäufer den Jungen schon gesehen oder eine Andeutung des Jungen, und das hatte mich ingesamt jünger gemacht. Vielleicht hatte der Verkäufer entdeckt, was sie, dieses Mädchen, für die es immer noch keinen Namen gab, schon die ganze Zeit in mir sehen wollte. Was sie sah.

Sie hatte mir nicht gesagt, wie sie hieß. Sie würde es mir nicht sagen. Das gehörte zu dem wenigen, was sie mir geradeheraus klargemacht hatte. Knallhart. Ohne Ziererei. Sie hatte mir ihren Namen nicht gesagt, und ich hatte es albern gefunden. Albern und aufgesetzt.

Aber jetzt stand ich hier. Ich stand vor diesem Spiegel, in einem blaugestreiften Hemd, in dem ich einen Vierzehnjährigen sah. Und es war nicht mehr albern. Es war eine Möglichkeit. Das Hemd gewährte mir einen Spielraum, es schaltete mein inneres Alarmsystem ab.

Es wurde möglich zu wissen, wie sie hieß.

Ihr Name war so deutlich, als wäre er vor mir auf dem Spiegel eingraviert, ich mußte nur noch lesen, vier Buchstaben, ein Wort mit zwei sonnengelben i, ein Name, der schlicht und nördlich klang und so selbstverständlich zu ihr paßte, als hätte ich sie unter diesem Namen schon immer gekannt.

Siri. Es war der einzige Name, der überhaupt in Frage kam, er begann mit S. S wie surprise, wie Schlüsselblume, Schafsgarbe, wie Spinnerei und Sehnsucht. Für mich war sie das. Siri. Und ich war sicher, daß ihr der Name gefiel.

Auf einem Wühltisch für Herrenunterwäsche fand ich einen Slip in durchsichtigem Schwarz, auch das würde ihr gefallen, ich fand ihn beiläufig, alles geschah beiläufig an diesem Tag, beiläufig und leicht, und nur in sehr großer Ferne hörte ich noch Ralfs Kommentar. *Scheiß Anpassermentalität, muß ja heute alles irgendwie quer und gender sein.*

In sehr großer Ferne liefen noch andere Gedanken ab:

Vielleicht hatte auch Ralf in jener Nacht den Jungen entdeckt. Vielleicht hatte er ihn erkannt, nicht bewußt, nicht auf eine obszöne Art, aber es hatte ihn aufgebracht, es hatte ihn gereizt und zu mir ins Tipi getrieben. Der Junge war etwas, worauf er keinen Zugriff hatte. Etwas, dessen Besitz ihm nicht biologisch immer schon zukam. Was ihm nicht zufiel, sooft und wann immer er wollte.

Biologisch oder durch ein unausgesprochenes, stabiles Gesetz.

Der Junge widersprach dem Gesetz, er machte einen Teil meines Körpers immun. Unangreifbar. Exterritoriales Gebiet.

Am nächsten Morgen war ich mit Ralf zum Umschichten der Boote eingeteilt.

Svenja machte mit mir keine Ausnahme mehr, der freie Tag hatte allgemein die Laune gehoben, auch die von Ralf, und sie war der Meinung, der Vorfall liege jetzt lange genug zurück.

Es war ein verhangener Tag.

Die Hälfte der Boote war beschriftet ins Camp zurückgebracht worden. Aus Sicherheitsgründen hatte Uwe den riesigen Bootsanhänger fünfzig Meter vor der Anlegestelle geparkt. Von dort mußten die Boote einzeln heruntergehoben, zum Steg transportiert und aufgeschichtet werden.

Jemand fragte, was an Aluminiumbooten eigentlich nicht wasserdicht sei, warum man das extra draufschreiben müsse, *halten die uns für Idioten?*

»Da hat Uwe mal ganz tief in die Tautologie-Kiste gegriffen«, sagte Ralf, er wrang sein T-Shirt aus, er benutzte es zum Trockenwischen der Böden. »Tautologisch, verstehste? Wie beim weißen Schwan.«

In den Booten schwammen Nadeln und Schlamm, Pfützen, in denen morgens Vögel gebadet hatten. Ralf setzte eine Bootskarre an, er hievte ein sauberes Kanu hoch, und ich hätte ihm die Karre dann abnehmen und sie mit dem Kanu hinüber zum Steg schieben sollen. Ich faßte nicht zu.

Ich sagte: »Und ist es auch tautologisch, wenn ›no gays!‹ auf einem Fußball steht?«

Er setzte die Bootskarre ab. »Bist du immer noch angepißt? Ich hab dir doch gesagt, wir kriegen das ab.«

»Vielleicht müssen wir das gar nicht abkriegen.«

Er wischte sich Schweiß aus dem Nacken. »Und wo ist da die verdammte Pointe?«

»Wenn es, wie du sagst, tautologisch ist, dann heißt das doch, beides wäre identisch. Dann heißt das, ein Fußballspiel ist nicht schwul. Aber jemand scheint es für wichtig zu halten, das noch mal draufzuschreiben. Der hat sich bei der ganzen Küsserei auf dem Rasen wahrscheinlich Gedanken gemacht.« Das Rädchen des Feuerzeugs unter meinen Fingern erhitzte sich.

»MannMannMann«, sagte er, »du kannst einem vielleicht auf den Wecker gehen. Faßte jetzt mal an?«

Ich hatte seit seiner Entschuldigung nicht mit ihm gesprochen. Jetzt war es nicht schwierig. Es ging. Es ging sogar gut, wenn man die Nacht nicht einbezog. Wenn man sah, wie er zu Svenja sprang, als ihr das Kanu wegrutschte, und half. Wie er ihr Kanu leichthändig ausbalancierte. Wenn man sich seine Monchichi-Sammlung vorstellte, der Größe nach sortiert auf dem Bord.

»Dann leg ich mal wieder los, was«, sagte er. »Deine Hirnakrobatik machen wir besser hinterher.«

Ich würde ihn wie immer auch an diesem Abend bei den anderen sehen, am Feuer, am Waschplatz beim Zähneputzen, das Handtuch über die Schulter gehängt, er würde den Zahnpastaschaum wie alle in einem weiten, kindlichen Bogen ausspeien, das war die Regel. Ich würde ihn an der Trimmbank sehen, am Strand und im Schuppen, ich schliefe nicht mehr im Tipi, bliebe aber im Camp, die nächsten sechs Wochen noch. Seltsam daran war, daß ich mir das nie so vorgestellt hatte.

Ich war nicht gelähmt. Ich hatte keinen Schock. Das Zittern hatte aufgehört. Ich war nervös, wenn ich ihn sah, mein Körper versteifte sich, aber ich konnte sogar mit ihm reden.

Die anderen sprachen wie immer auch an diesem Tag nicht davon.

Sie hatten zu tun.

Und vielleicht hatten sie recht. Vielleicht wäre alles andere unwirklich gewesen. Auch mir schien der Vorfall mittlerweile wenig real.

Nur die Taubheit war nachts immer noch da. Ich hörte auf die Geräusche. Sie waren auf dem erhöhten Plateau, auf dem der Grasplatz lag, besonders deutlich. Die Reißverschlüsse an den Zelten der anderen, der harte Klang, mit dem die Wellen ans Ufer schlugen. N'Sync kam mit dem Wind aus Lennartsfors. Über der Tankstelle wohnte eine Rockerin, sie gab regelmäßig Parties. Die Musik wurde durch die Entfernung weicher, die Töne verschliffen.

Später waren die Schreie der Tiere zu hören. Es klang, als umringten sie dichtgedrängt den ganzen See, ihr

Rufen schwoll an, ein tiefes, hohles Klagen. Es war ein Ton, der auf derselben Höhe lag wie die Einsamkeit hier draußen im Zelt, ihr Rufen war tröstlich und schwer und menschenfern, es hallte lange nach.

Noch später ging das Feuer aus, der Schlafsack wurde klamm, und ich dachte an Siri und daran, daß sie heute morgen nicht aufgetaucht war, den ganzen Tag über nicht, und ich stellte mir vor, wie es wäre, wenn sie für immer verschwunden bliebe.

Der Boden war feucht. Ich hustete, und das Geräusch schien spärlich und unwirklich. Vielleicht schlief ich doch. Meine Brüder waren da. Wir schliefen im selben Zimmer, im selben Kastenbett auf gestreiften Matratzen, ich lag zwischen ihnen, durch ein Laken getrennt, später zogen wir es weg, unsere Beine schwitzten. Ich mochte den warmen Geruch, den Druck ihrer Körper auf beiden Seiten, wir hatten nicht sehr viel an. Heimlich sah ich zu, wie dem Jüngeren eine Haarsträhne beim Einschlafen übers Gesicht rutschte, ich schob mich eng an ihn heran, zog seinen Arm über meinen Nacken und spürte, wie sein Geschlecht auf meinen Oberschenkel fiel. Später kam meine Mutter: *von jetzt an schlaft ihr mal besser allein*, ich war aufgewacht.

Draußen wurde die LKW-Ladung verschnürt, kaputte Paddel und Material, das zur Reparatur nach Berlin gebracht werden sollte.

Ich überlegte, wie es wäre mitzufahren. Nicht mehr hier zu sein. Den Job vorzeitig abzubrechen und ohne Honorar zurückzukehren nach Halberstadt. Ich sah, wie es Ralf und die anderen bald aus meiner Erinnerung wegspülen würde.

Auch Siri würde dann weggespült werden, sie käme

mir am Ende wahrscheinlich nur wie ein Wesen aus einem betrunkenen Halbschlaf vor.

Und meine Brüder sähen sich bestätigt. Ich hätte versagt.

Ich würde nicht vorzeitig zurückkehren.

Ich verließ das Camp am nächsten Tag unerlaubt. Ich setzte mich auf den Steg. Ich wartete auf sie bei den Booten und hoffte, daß sie mich dort sitzen sah. Ich trug das blaugestreifte Hemd, die oberen Knöpfe offen, ich trug den Slip. Ich hatte alles dabei, was wir brauchten, Paddel und Isomatten und Kochgeschirr, ich würde, wenn sie käme, einen Ausflug mit ihr machen. Ich würde sie überreden. Und käme sie heute nicht, würde ich morgen dasselbe einpacken und wieder unerlaubt ans Ufer gehen und mich hinsetzen und auf sie warten.

Der Himmel war weiß und zerklüftet. Das Licht fiel so flach über den See, daß es blendete. Vor dem gleißenden Hintergrund war die Gestalt, die näher kam, schwer auszumachen. Zuerst verschwommen, die Konturen fließend, dann deutlicher werdend, hoben sich langsam Umrisse ab. Ich erkannte leicht einwärts gerichtete Knie, darüber ein weißes Dreieck, im Näherkommen wurde es ein Kleid, gehalten von Trägern, die um den Nacken liefen, ich erkannte ein Armband mit türkisfarbenen Steinen, und wieder schien ich nur in eines dieser Hochglanzbilder geraten zu sein.

Sie blieb stehen. Sie studierte Kleinigkeiten, Käfer wahrscheinlich, Schnecken im Gras.

Meine Handflächen waren heiß. Es schien Jahre zu dauern, ehe Siri endlich bei mir war.

Sie legte den Kopf schief, um mich zu betrachten. Sie betrachtete mein Hemd.

»War billig«, sagte ich. »Sommerschlußverkauf.«

Ich schob ein Kanu ins Wasser und wischte Nadeln und Sand von den Sitzen. Sie setzte sich nach vorne.

Vor uns lag der See, langgestreckt, sichtbar bis zur äußersten Bucht, zum letzten Strich, der überhaupt noch als Land zu erkennen war. In der Mitte war er zweihundert Meter tief, das klarste Wasser in Dalsland, sagten sie, jetzt sah es trüb aus, wir hatten Schlamm aufgewühlt.

»Blau steht Ihnen gut«, rief sie. »Wohin fahren wir denn?«

»Schätze, zum Ball. So wie wir aussehen.«

»Ein Ball«, sagte sie, »das gefällt mir. Machen wir das?«

»Ja. Siri«, sagte ich. Dann entstand eine Pause. Und als sie nicht reagierte, drehte sich das Wort hinterhältig im Mund um, kehrte mir den Rücken zu, enthüllte mir meine eigene Lächerlichkeit in der Kabine, als ich zum ersten Mal das Jungenhemd getragen hatte, enthüllte mir die Lächerlichkeit ausgerechnet jetzt. Ich hatte den Namen falsch gelesen. Er hatte sich mir in Spiegelschrift gezeigt, und in der Aufregung hatte ich ihn verkehrtherum gesehen, nicht Siri, sondern Iris mußte sie heißen. Sie würde sich lustig machen, oder schlimmer: Es mußte sie kränken, wie dumm ich war, so dumm, daß ich sogar ihren Namen ungehörig verdrehte.

Ihr Paddel schlug aufs Wasser, zog durch, »Schmoll«, rief sie, »sind Sie o.k.?«, das Boot drohte zu kippen, ein Schwarm dunkler Enten stieg knapp vor uns auf, ich hatte mich zu weit nach links gesetzt.

Ich steuerte dicht an der Landspitze mit dem Telegraphenmasten vorbei, hinaus auf den Foxen.

»Aber ich werde nicht mit Ihnen tanzen.« In der Ferne

erkannte man die Kirche von Fågelvik. »Jemand wie Siri tanzt nicht«, sagte sie. »Das sollten Sie wissen.«

»Niemals?«

»Mit keinem.«

Wir fuhren jetzt ohne zu sprechen. Ich, weil ich stumm blieb vor Freude, sie vielleicht nur, weil es mühsam war, sich vom Bug aus verständlich zu machen.

Einmal winkte am Ufer ein Mann. Sonst sah der Wald unbelebt und zugewachsen aus. Später erreichten wir die Bucht vor Trollön, einer Insel, die zur Hälfte norwegisch ist. Die Bucht öffnete sich hinter einem hoch aufragenden Felsen. Ich ließ uns treiben. Das Boot schnitt in die Schatten.

»Wissen Sie, wie glücklich ich bin?« sagte sie. »Ich kann Ihnen das gar nicht oft genug sagen.«

Die Felsen ragten über dem Wasser auf, sie bestanden aus mehreren Plateaus, als hätte jemand breite Stufen in den Stein geschlagen. Auf der Spitze lag ein Zeltplatz, den nur wenige kannten. Er war illegal, in einer Felsmulde hatte jemand eine provisorische Feuerstelle angelegt.

Ich hatte ihr Trollön zeigen wollen wegen des Sonnenuntergangs. Auf dem Felsen sah man den roten Horizont noch lange, nachdem es ringsum schon dunkel geworden war. Und morgens konnte man von dort Kopfsprünge machen.

Ich steuerte ans Ufer. Ich stieg aus.

»Sie sind der einzige, der mich so glücklich machen kann«, sagte sie. »Und zum ersten Mal.«

Es war kühl und still in der Bucht. Es roch nach den Algen, die an den Felsrändern trockneten. Ein Echo kam von den Felsen zurück. Sie saß in der Spitze des Kanus, ihr Kleid warf einen weißen Schatten.

»Siri«, sagte ich. Ich wollte herausfinden, ob ihr der Name gefiele, ich wollte es noch einmal bestätigt haben. Sie tat mir diesen Gefallen nicht. »Was für ein Glück ist das?« sagte ich schließlich.

Sie rieb sich den Arm, sie hatte Gänsehaut.

»Gucken Sie sich das mal an!« rief sie und zeigte zum Ende der Bucht. »Glauben Sie, die sind reif? Ich würde so gern welche essen.« Himbeerbüsche wuchsen auf dem sumpfigen Grund.

Ich zog das Kanu quer zum Strand. Sie kletterte heraus, lief über die Felsen, bevor sie in den Büschen verschwand.

»Und wissen Sie, Schmoll«, sagte sie von irgendwoher. »Es ist wahr. Ich war noch nie so glücklich. So glücklich wie mit Ihnen bin ich das erste Mal.«

»Bei dir ist also immer alles das erste Mal.«

»Sind Sie deswegen böse mit mir?« Ihr Kleid verfing sich im Gestrüpp, als sie herauskam. Sie strich die Beeren von den Zweigen in ihre Hand, als ich welche nahm, berührten mich ihre Finger.

»Nein.«

»Gut. Sie kennen mich auch viel zu wenig, um mir böse zu sein.«

»Das Dumme ist, daß es nur einmal das erste Mal ist.«

»Ja«, sagte sie. »Aber was wäre, wenn es zum Beispiel keinen Anfang gäbe. Wenn es überhaupt nie einen Anfang gäbe –«

»Wir haben aber Anfang und Ende«, sagte ich. »Und eine Biographie.«

»Da.« Sie hielt mir eine Handvoll Beeren hin. »Die ersten sind für Sie. Weil Sie mir böse sind.«

»Ich bin dir nicht böse.«

Sie sah mich erwartungsvoll an, in der Hand die Himbeeren.

»Es ist nur –« Über mir gaben die Wipfel ein Stück lichten Himmels frei. Sie stand vor mir, der Abstand war gering, ich sah ihre Füße, die Zehen. Irgendwo mußte die Sonne sein, irgendwo stand das Licht, ich warf mir die Beeren in den Mund, ein paar fielen daneben, ich hatte zuviel Schwung.

»Was denn, Schmoll?«

»Nichts. Es ist nichts.«

»Vielleicht hatten Sie nur noch nicht den Mut.« Sie nahm meine Hand, diesmal fest. »Den Mut, dauerhaft anzufangen«, sagte sie. »Aber man muß es wagen.« Sie zog mich näher zu sich heran. »Man muß doch das Äußerste wagen«, sagte sie nüchtern. »Wenn man sich nur ein Stück über das Erwartbare hinwegsetzen will, geht es immer ums Äußerste.« Sie ließ mich los. »Und Sie tragen das Hemd. Sie haben es ja gekauft!«

Wir holten die Packsäcke aus dem Boot.

Ich hatte ein kleines Zelt mitgebracht, aber vielleicht würden wir draußen schlafen, es war warm genug.

Wir trugen das Zelt nach oben, zusammen mit Schwimmwesten und Sitzkissen und Brot. Die kleine Verpflegungstonne schleppte ich allein über die vier Plateaus den Felsen hinauf, sie sagte, ich solle mich nicht wie ein Idiot aufführen, sie wisse doch, wie stark ich sei. Oben hatte jemand einen Baumstamm als Sitz zwischen zwei Kiefern gehängt, aber der Regen hatte die Schnüre aufgeweicht, und der Stamm hing lose herunter.

Ich wünschte, ewig hier bleiben zu können, mit ihr, wo nur ihre Augen zählten, grün gesprenkeltes Braun. Ihre Augen, die Himbeeren, der Wald und der See, draußen auf dem See war noch Sonne. Wir standen im Schatten, der kühl auf unseren Körpern lag, auch unsere Stimmen zwischen den Felsen schienen schattenhaft, ich hätte ewig hier bleiben können, und es hätte sich doch angefühlt wie nichts.

Wir gingen schwimmen. Sie bestand darauf, sich allein und im Schutz der Himbeerbüsche auszuziehen, ich sprang vom oberen Plateau aus ins Wasser.

»Verdammt, Schmoll, ist das kalt!«

»Wir sind auch fast in Norwegen!« rief ich, und wieder kam ein Echo zurück.

»Haben Sie das hier gesehen? Hier sind lauter kleine Viecher!«

»Das Wasser blüht.«

»Dann blühen die Viecher?«

Sie hielt sich an einem der flachen, fast weißen Kalksteinfelsen fest.

Ich schwamm weit hinaus. Als ich zurückkam, hatte sie sich angezogen, sie sammelte Holzstücke in den Deckel der Verpflegungstonne. Ich machte ein Feuer.

Wir legten die Sitzkissen so aus, daß wir uns an die Felsen lehnen konnten, der Wind blies den Rauch von uns weg. Irgendwo fand sie frische Pfefferminze. Wir kochten Tee. Später tranken wir Wein, später, das war, als die Abendflaute den See ruhig machte wie Glas und der Horizont zu einem blassen Strich geworden war, später, das war auch, als sie sagte: »Schmoll, ich habe etwas für Sie.« Und mir kurz über den Arm strich. Und aufstand. Und auf die andere Seite des Feuers ging.

»Sehen Sie genau hin.«

Sie stand mit dem Rücken zu mir, im Ausschnitt ihres Kleides leuchtete die Haut. Das Kleid ließ ihren Rücken bis zur Taille frei, sie hatte ihr Haar nach dem Schwimmen hochgesteckt.

Sie griff mit den Händen in ihr Haar. Die Steine des Armbands glühten.

Sie löste ihr Haar. Es fiel herunter zur Hüfte, glatt und schwarz, und bedeckte die Haut, verhüllte die Schultern, die leichten Ansätze der Muskulatur, ihre Nacktheit, die mir jetzt deutlicher vor Augen stand als zuvor, und es schien, als fiele ihr Haar eine lange Zeit und deckte den Abend ab, den Horizont, das Schimmern des Sees, es dämpfte das Schreien der ersten Tiere. Wir waren allein hier oben und auf der Welt, und wieder waren meine Handflächen heiß. Im Feuer verbrannten Kienäpfel.

»Für Sie.«

Ihr Parfüm breitete sich aus, sie mußte es ins Haar gesprüht haben, und ich überlegte, wie es sein würde, Siri zu küssen. Jetzt. Unter diesen Voraussetzungen. In diesem Hemd.

Ich oder Schmoll.

Wie es wäre, sie an mich zu ziehen.

Ihr den Träger im Nacken zu lösen.

Mich auf sie zu legen, wie ein Junge sich auf sie legte.

Ihr die Beine auseinanderzuschieben und sie mit der Hand zu berühren und dann tiefer zu gehen, so aufreizend langsam und genau, wie es kein unerfahrener Junge täte, aber ich war Schmoll, und sie würde wissen, wer ich war, und alles andere wäre nicht wichtig.

»Hast du eigentlich Schwierigkeiten, mit Leuten zu reden, mit denen du nicht schläfst?« sagte ich.

Ein Kienapfel barst.

»Ich habe da Schwierigkeiten«, sagte ich und sah sie nicht an. »Ich hab das Gefühl, ich stecke in einem sehr komplizierten Ausweichmanöver. Freundschaft, wie man das nennt. Dieser soziale Austausch. Wozu macht man das.« Wackliges Licht fiel vom Feuer auf ihre Haare, es sah aus, als bewegte sich ihr Kopf, als tanzte der Kopf unabhängig vom Körper hin und her.

»So eine Freundschaft«, sagte ich, »das ist doch eine riesige Müllhalde. Ein Abladeplatz für Seelenmüll. Und deshalb habe ich damit Schwierigkeiten. Bei Leuten, mit denen man schläft, kann man davon ausgehen, daß das erst hinterher passiert. Das Abladen. Aber dann kann man rechtzeitig gehen.«

Sie reagierte nicht.

»Wie im Camp. Du redest mit ihnen, und sie reden mit dir, und alles sieht freundschaftlich aus, und dann ist über Nacht der Fußball beschmiert. Weißt du, was da jetzt draufsteht? *No gays*«, sagte ich. »Du erinnerst dich doch an den Ball. Und ausgerechnet jetzt, wo die anderen mich mit dir gesehen haben, steht *no gays* drauf.«

Als sie sich wieder umdrehte in ihrem kurzen Kleid, hatte ich sie weder berührt noch geküßt.

»Es waren nicht die anderen«, sagte sie leise. »Das ist eine Botschaft, Schmoll, das müssen Sie doch wissen! Das waren Sie doch selber. *Sie* haben das draufgeschrieben.«

Ich lachte. Aber sie blieb ernst.

»Das haben Sie gut gemacht. Sie waren glücklicherweise so klug, mir diese Botschaft zu hinterlassen. Sonst könnte es am Ende noch zu Verwechslungen kommen. Es könnte so aussehen, als wären Sie gar nicht Sie. Wenn man denen im Camp glaubte, gäbe es Sie nämlich nicht. Davor haben Sie mich beschützt. Uns beide.«

Das Feuer brannte noch, und sie stand immer noch da

mit offenen Haaren, und die Holzstämme hingen immer noch lose von den Bäumen.

»Glücklicherweise?« sagte ich.

»Glücklicherweise.«

»Ein komisches Glück.«

Und es war auch nicht gesagt, daß dieses Glück nicht verschwände wie das letzte Licht. Und dann bliebe nichts zurück vom Felsen und dem Abend und von ihr.

Im Camp hatten sie den Holzberg abgeräumt.

Sie hatten das Gras gemäht und die Zelte in Form einer Wagenburg gestellt. Die Reißverschlüsse an den Eingängen waren offengeblieben über Nacht, die feuchte Haut schlappte gegen die Zeltstangen. Es war kühl, es wurde schon Morgen. Hinter dem Duschhaus zeichnete sich ein Schemen ab, beim Näherkommen war es Sabine.

»Wo warst du«, rief sie. »Die Jungs haben hier gestern ein Megafeuer hingesetzt, ganz sporadisch, eine Mittsommernacht, die werden heute nicht so schnell wach.«

Das Küchenzelt war verschlossen. Vor dem Geräteschuppen stand eine Bierkiste, daneben lag ein schwarzer Plastiksack mit leergetrunkenen Flaschen.

»Dann kann ich ja noch mal ins Bett gehen.«

»Mach das, mach das. Kein Ding.« Auch neben der Feuerstelle lagen Flaschen, zwischen den Tipis und in den Emaillebecken am Waschplatz, die Kippen hatten sie verbrannt.

Sabine hatte sich auf einen der Stämme am Feuer gesetzt, die Kaffeekanne zwischen den Knien, sie rauchte.

»Komm doch mal eben 'ne Minute her«, sagte sie. »Wo warst 'n?«

»Weg«, sagte ich. »Draußen.«

Ich stellte mich neben sie und sah in die Asche.

»Anfangs war ich auch öfter mal über Nacht draußen.«

»Dann komm doch das nächste Mal mit«, sagte ich.

»Warst du allein?«

»Nein.«

»Früher war ich oft allein unterwegs. Nachts mit dem Boot, und dann hörst du die Tiere. Sie haben ihre festen Zeiten. Kurz nach Mitternacht geht es los. Vielleicht 'ne halbe Stunde. Der ganze Wald lebt. Bis wieder Ruhe ist. Ganz abrupt. Eine Totenruhe«, sagte Sabine. »Unheimlich.«

»Fährst du deswegen nicht mehr raus?«

Sabine zuckte die Schultern. »Willste eine?«

»Nicht morgens.«

»Alleine rauchen ist scheiße. Nicht mal ziehen?«

»Ich geh ins Bett.«

»Also ich kann ja nicht schlafen«, sagte Sabine. »Irgendwas ist mit mir. Ich kann auch nicht gut allein sein in letzter Zeit.«

Die Asche war gelblich, sie hatten wieder Plastik verbrannt, Tetrapacks, beschichtetes Papier, wer hörte schon auf Sabine.

»Dabei bin ich gern allein. Ich brauch das. Die innere Balance *and all that*«, sagte sie, »ich weiß, du glaubst da nicht dran. Aber ich komm sonst nicht runter, ich bleib absolut *over the top*, erst dieser Streß, dann die Alk-Orgien und früh der Saufschmerz, da bildet man sich alles mögliche ein, zum Beispiel gestern abend, da haben sie, als das Feuer richtig hoch war, da sind sie angekommen und wollten, sie haben mich – aber *right!* da fällt mir ein, das dürfte dich interessieren.« Sabine schnippte die Kippe in Richtung Asche.

»Was.«

»Du wolltest doch wissen, wer die Scheiße mit dem Ball gemacht hat.«

»Das ist egal.«

»Sie sagen, daß ich das war.«

»Was?«

Sabine zog ihre Beine an. »Ja.«

»Das ist absurd.«

Wir sprachen leise, außer unserem Flüstern war nichts zu hören, nur das Schlappen der Zeltplanen. »Wenn nicht ich, dann ein Schwede. Irgendeinen werden sie schon finden, haben sie gesagt. Also eigentlich wissen sie gar nichts.«

»Sie waren besoffen.«

»Sowieso. Hackedicht«, sagte Sabine. »Ohne Balance kommste da nicht runter. Ich habe hier noch keinen Abend ohne Absacker erlebt. Die brauchen das. Die brauchen das wirklich. Und wenn sie dich aufm Kieker haben – Aber ich bin kräftig und ein bißchen verrückt. Ich komm damit klar. Ich kann nur nicht mehr gut allein sein in letzter Zeit. Und weißt du, was die verdammte Lösung ist? *If you can't beat them, join them.*«

»Du kannst es ja noch mal versuchen mit dem Rausfahren.«

Sabine zuckte die Schultern.

»Wir könnten auch zusammen rausfahren.«

Sabine sagte nichts.

»Wissen nicht mal, was sie reden. So besoffen müssen die gewesen sein!«

Sie sah mich an. »Glaubst du's?«

»*Nope.*«

Sie nickte. »Scheißkühl hier draußen.« Sie stand auf. »Und schlafen geht auch nicht mehr.« Sie nahm die Zigaretten und stopfte das Feuerzeug in die Schachtel. »Ich bin bestimmt nicht so blöd, da was in englisch draufzuschreiben, wo jeder weiß, daß ich hier am besten englisch kann. Und sie haben gesagt, na, Bine, dann wird's wohl dieser Typ gewesen sein, dieser, *something like:* schmollen. Ich mach mir 'n Kaffee – du?«

Ich winkte ab, ich ging hinüber in mein Zelt. Ich zog den Reißverschluß am Eingang fest zu. Das Licht fiel blau durch die Wände. Ich klappte den Schlafsack auf, ich kroch hinein, eine Weile lag ich auf dem Rükken. Ich spürte die Isomatten, ich spürte meine Muskeln, den Schlafsack, etwas, das klar abgegrenzt war, abgegrenzt wogegen oder wovon, über mir war wenig Raum. Mit ausgestrecktem Arm konnte ich das Zeltdach berühren, dort wurde es punktuell heller. Es fühlte sich an, als würde mir dieser Punkt auf die Brust drücken.

Ich wachte vom Geräusch eines Nieselregens auf, er sprühte ans Zelt, als würde mit einem Nadelbrett darübergestrichen. Die Wolken kamen gewöhnlich von Fågelvik aus über den Foxen. Im Küchenzelt lärmte der Ghettoblaster, ich hörte Svenja nach einem Handtuch schreien, Ralf sagte, *Zimmerlautstärke*, ob das *bitte schön zuviel verlangt* sei, *oder sind wir hier auf einem beschissenen Türkenmarkt*, jemand lachte. Mein Zelt stand schief, eine Spannleine war aus der Verankerung gerissen, Nässe drang am Fußende durch. Vor dem Eingang lag der Fußball im Regen. Jemand hatte ihn an mein Zelt geschossen, vielleicht Sabine. Ich legte ihn unter das Vordach. Auf dem nassen weißen Leder war der Schriftzug gestochen schwarz.

Schmoll. Und *mit dreißig beginnen die Kämpfe.* Ihre Gesichtsprofile am Feuer, *bis dreißig*, hatten die anderen gesagt, *fehlt dir noch jede Mitgliedschaft, aber dann kapierst du, was Panik wirklich bedeutet.* Sie hatten das aus Angst vor der Zeit nach dem Sommer gesagt, es war immer dieselbe Angst, jedes Jahr fielen sie in ein Loch, und auch ich dachte jetzt daran.

Ich hätte mir darüber klarwerden müssen, wie es weitergehen würde, was ich tun sollte, wenn ich zurückkäme nach Halberstadt, ob ich noch mal neu anfangen, mich selbständig machen sollte, mit einem Schreibbüro vielleicht, Diplomarbeiten tippen, ob ich Taschenlampen verkaufen oder mich zur Stadtführerin umschulen lassen sollte, das hätte noch entfernt etwas mit Beleuchten zu tun. Ich hätte mir darüber klarwerden müssen, wovon ich leben wollte im Herbst, im Winter. Das Honorar dieses Sommers würde, wenn ich sparsam wäre, bis November reichen.

Statt mir Klarheit zu verschaffen, zog ich ein Jungenhemd an und saß romantisch am Feuer.

Statt mir Klarheit zu verschaffen, paddelte ich eine Frau durch die Gegend, die sich für eine Elfe hielt.

Eine Frau, von der ich kaum etwas wußte. Kühn war sie. Kühn genug jedenfalls, um sich allein durchzuschlagen und sich nichts daraus zu machen, daß man sie anstarrte. Kühn genug oder verloren genug, dachte ich. Offenbar hatte sie keine Angst. Oder es war eine andere, tiefere Angst, die sich nicht mit gewöhnlichen Tricks bändigen ließ.

Ein vierjähriger Junge. Ein Eis am Stiel. Die Dinge sind hinter ihr her.

Ihre Tricks schienen weit hergeholt. Und sie würde dafür bis zum Äußersten gehen.

Wie sehr ich es bereuen würde, wenn ich nicht mitginge bis zum Äußersten, war das einzige, was mir klar wurde.

Die anderen waren länger im Camp als ich. Sie reisten im Frühjahr an, sie besserten aus, was im Winter beschädigt worden war. Sie wußten, wie man mit den schwedischen Nachbarn spricht, wie man Kaffee und Nudelsuppe für zweihundert Leute streckt, *Uwe, dieses Arschloch, ob der noch mal vergißt, daß er aus einer Mangelwirtschaft kommt*, einmal die Woche verkauften sie an die Dauerzelter Wodka und deutschen Schnaps.

Sie waren besser informiert. Sie wußten vielleicht von einem, der Schmoll oder ähnlich hieß. Vielleicht gab es einen Schmoll in der Nähe, vielleicht trug einer der Waldarbeiter diesen Namen oder einer von den Jugendlichen, die sich in Lennartsfors an der Tankstelle trafen. Vielleicht hatten sie aber den Namen auch nur gehört und sich den Zusammenhang dann ausgedacht. Sie dachten sich noch immer alles mögliche aus.

Vielleicht wußten sie etwas, oder Sabine wußte etwas und hatte versucht, es mir versteckt mitzuteilen.

Ich dachte an Fågelvik.

An die beiden Männer im Jaguar. Sie waren mein einziger Anhaltspunkt, sie verschwammen nicht, sie entzogen sich nicht, in meiner Vorstellung saßen sie immer da. Auf dem Marktplatz von Årjäng. Von dort war es nicht weit bis Fågelvik, eine halbe Stunde, der Weg führte am See entlang, ich hatte mal mit einem

Kanu in der Nähe angelegt. Ich versuchte mich zu erinnern.

Wie Siri neben mir auf dem Steg gesessen hatte.

Wie die Sonne gewandert war.

Was Siri erzählt hatte. Und wie. An welchen Stellen sie sich zu lange aufhielt. Wo sie Pausen machte, unzusammenhängend wurde oder nervös lachte. Ich suchte Indizien für Verborgenes, das Siri mir nicht hatte preisgeben wollen.

Die Erinnerungen waren unpräzise und liefen immer auf dasselbe hinaus: Sie hatte erzählt, wie sie hier angekommen war, ohne sich auszukennen. Ohne zu wissen, wo Fågelvik lag. Sie hätte andere Dimensionen im Kopf gehabt und nach richtigen Orten gesucht, wo es oft nur verstreute Häuser gab.

Das muß man sich mal vorstellen, sagte sie. Da bist du auf der Suche nach einem Ferienhaus und landest in diesem Schlitten! Aber sie hat jetzt ein positives Gefühl. Der Motor beruhigt sie, die Hitze unter dem Autodach, hinter ihnen schlagen Staubwellen auf. Rote Holzhäuser in der Ferne, immer gehört eines davon bereits ihr. Ich ziehe in Gedanken sofort ein, sagte sie, auch wenn es Humbug ist, das passiert mir jedesmal.

Die Männer parken hinter Büschen.

Der, der Erik heißt, klappt die Sonnenblende hoch. ›Sagen Sie mir, was Sie suchen.‹

Pfefferkorn betätigt einen Knopf, die Fenster schließen automatisch.

›Steigen wir nicht aus?‹

›Wenn es das ist, was Sie suchen‹, sagt der, der Erik heißt.

›Was soll das heißen.‹

›Wenn es das ist, was Sie suchen, lassen wir Sie raus.‹

Sie sitzt an einem Feldrand in diesem Jaguar, sie sieht kein Haus. Aber kann doch sein, sagte sie, daß es sich verhält wie mit den Landkarten, man findet sich zuerst überhaupt nicht zurecht. Man muß sich die Landschaften erst übersetzen. Heimlich probiert sie die Tür.

›Wo ist es denn? Wo ist denn Ihr Haus?‹

›Ich kann es nicht jedem zeigen.‹

›Und was soll ich dann hier? Warum haben Sie mir das nicht gleich auf dem Markt erzählt?‹

›Es geht nicht. Es gehört meiner Mutter.‹

›Wollen Sie mich verarschen?‹

›Sie sollten auf ihn hören.‹ Pfefferkorn legt seine rosige Hand auf die Rückenlehne, zum ersten Mal an diesem Tag hört sie ihn sprechen, eine Stimme wie Kaffeelikör.

›Sagen Sie meinem Freund Erik, was Sie suchen!‹

›Zuerst steigen wir mal aus‹, sagt sie. ›Woher soll ich wissen, ob es das ist, was ich suche, wenn ich es noch gar nicht gesehen habe?‹

Es ist sechs Uhr, es ist immer noch heiß, als der Jaguar mit einem Kennzeichen, auf das sie nicht geachtet hat, rückwärts stößt. Ihr Kopf fliegt gegen den Vordersitz.

›Pardon‹, sagt der, der Erik heißt. ›Der Wagen macht heute wieder, was er will. Und ausgerechnet da möchte mein lieber Freund nicht selbst fahren.‹

Sie sind auf einer Piste in den Feldern von Fågelvik. Jedesmal, wenn der Unterboden aufsetzt, wenn der Motor überdreht, schleudert sie gegen die Tür. Nicht daß sie Haß verspürt, sagte sie, das nicht. Es ist nur dieses ungute Gefühl, mit dem eine positive Einstellung langsam verschwindet.

Sie zerrt ihr Handy aus der Tasche, sie hat ein Handy, aber keinen Empfang, das weiß jeder, der schon mal in Värmland gewesen ist, wenn du Empfang haben willst, sagte sie, mußt du auf ein Dach steigen oder auf einen Berg.

Sie sitzt in die Polster gedrückt, in halber Deckung vor den Feldern, auf denen Hafer wächst, Gerste, gelbes, wehendes Gras. In der Ferne macht ein Mähdrescher kehrt.

›Mein Lieber‹, ruft Pfefferkorn seinem Freund zu, auch ihn wirft es gegen die Tür. ›Immer langsam mit den jungen Pferden! Es hat noch nie beim ersten Mal geklappt. Das liegt an deiner unverschämten Ungeduld, *hon inte haft en rätt lunchrast –‹*

Sie versteht kein Schwedisch, will sie auch gar nicht mehr, sie hat es satt und diesen Blick, schneidend und glatt, sagte sie, du siehst alles, zum Beispiel deine eigene Idiotie. Zwei Alte, die geistig nicht ganz auf der Höhe sind. Das könnte beruhigend sein, aber du bist nicht beruhigt, wenn du sogar unter den Fingernägeln schwitzt.

Der Wagen stoppt. Rechts ein schräg ins Wasser ragender Steg, Staub, der um das Auto zieht. Erik drückt die Arme am Lenkrad durch. ›Also?‹

Sie stehen da, und der Wind spielt auf den Wellen und läßt die Gersten wehen.

›Es gehört Ihrer Mutter?‹ fragt sie nach einer Weile und holt Luft.

›Ich kann Ihnen das Haus nicht zeigen‹, sagt er, ›wenn Sie nicht mal wissen, wie es aussehen soll.‹

›Rot, nehme ich an. Falunrot. Aus Holz. Mit fließend Wasser und Kamin. Und einer Dreikammer-Jauchegrube. Und kein Torfdach. Das muß man nach jedem Sturm neu decken.‹

Das ist alles, was sie sich im Laufe der Zeit angelesen hat.

›Sie kommen doch aus Deutschland‹, sagt Pfefferkorn, ›nicht wahr?‹ Sie kann ihn im Rückspiegel sehen. Es ist stickig und heiß, sie fühlt die Haut ihres Gesichts wie eine eng anliegende Tüte.

›Ja und?‹

›Kennen Sie die Straßen in Ihrem Land? Haben Sie mal in einen Autoatlas geschaut? Das ist, als ob man ein Haus an der Küste sucht.‹

›Ich werde nicht an der Küste suchen, die Küste interessiert mich nicht!‹

›Das Straßensystem in Ihrem Land bringt einen von jedem Gedanken ab. Aber Sie wollen ja nicht‹, sagt der, der Erik heißt, ›Sie wollen nicht hören.‹

›Warte!‹ Pfefferkorn dreht sich zu ihr um. ›Aus so einem Straßensystem wie in Ihrem Land kommt man nur sehr schwer wieder heraus.‹

›Wenn Sie wollen, daß ich das spüre‹, sagt sie, ›dann ist Ihnen das geglückt.‹

Der, der Erik heißt, lacht.

›Sie fahren und fahren‹, sagt Pfefferkorn. ›Sie fahren über die Autobahn, Sie sind stundenlang unterwegs, aber Sie kommen nicht weiter. Denn überall, wo Sie abfahren wollen, steht das gleiche dran. Sie kommen nicht weg. Egal, wo Sie sind, die Schilder weisen alle auf das gleiche hin. Bitte verstehen Sie uns nicht falsch. Es ist nur ein Bild, ein Beispiel.‹

›Blaue Schilder‹, sagt der, der Erik heißt. ›Mit klaren weißen Buchstaben. Eine Längsseite der Schilder ist zugespitzt, sie sehen aus wie Pfeile. Die Pfeile zielen alle in eine Richtung. *Ausfahrt,* sagt er. Überall steht *Ausfahrt* dran. Man kommt nirgendwo anders hin. *Ausfahrt,* das ist das Ende. Das wechselt nicht. Egal, wie die Orte heißen. Das ist nur Tarnung. Maskerade. Das Entscheidende steht überall dran. Verstehen Sie? Also sagen Sie uns, was genau Sie eigentlich suchen.‹

Das sagt er zu ihr. Die Türen sind verriegelt. Draußen ist Nacht.

Nichts davon half mir weiter. Nichts deutete auf Verborgenes hin, nichts darauf, wie Siris Leben ausgesehen hatte, bevor sie mir begegnet war.

Das Licht im Zelt war dünn.

An der Zeltwand hingen graue Schlieren, Blätter, Nadeln, die vom Wald herüberwehten, der Regen verwandelte den Grasplatz in ein Wasserloch.

Ich trug noch den schwarzen Herrenslip, sie legt ihre Hand darauf, sie berührt ihn, sie neigt sich ihm zu, wir hatten uns nicht mal entblößt.

Ich versteckte Hemd und Slip in einer Tasche auf der Innenseite des Rucksacks, ich zog zwei Pullover an. Dann ging ich hinaus.

Der Regen schlug Böen, die Grenze zum Wald war nicht auszumachen.

Im Büro brannte Licht. Svenja saß an der längeren Seite des Tisches, wo das Telefon stand, das bei Gewitter nicht funktionierte.

»Was habt ihr denn gestern mit Sabine gemacht? Sie läuft mit pechschwarzen Visionen herum.«

»Setz dich mal hin.« Svenja klappte einen Ordner zu. »Wir haben ein Problem.«

Ich setzte mich neben sie.

Der Regen spülte den Schmutz vom Dach, er rann über die Fensterscheiben.

»Das hängt vielleicht mit dem Wetter zusammen. Sabine ist empfindlich, was das angeht.«

Svenja unterbrach mich. »Jemand hat Scheiße gebaut. Jemand, der Zugang zu den Schlüsseln hat.«

»Hier passiert ziemlich viel Scheiße in letzter Zeit.«

»Uns wurden gerade ein paar tausend Euro geklaut. Und wenn Uwe hier hochkommt und das erfährt, dann möchte ich für meinen Teil«, sagte sie, »also ich meinerseits, ganz ehrlich? Ich wäre dann lieber im Sturm auf dem See als im Camp.«

»Das verstehe ich gut.«

»Du warst doch an diesem Tag, wann war das, als du allein im Camp warst, ist dir da irgendwas aufgefallen?«

»Nichts besonderes«, sagte ich und schob meinen Stuhl ein Stück zur Seite, ihr Knie war an meines gestoßen. »Außer mir war niemand da.«

»Gut zu wissen«, sagte Svenja.

»Du meinst, es könnte jemand von uns gewesen sein?«

»Da bin ich aber froh, daß du so schnell schaltest.«

Ich stieß mit der Stuhllehne gegen die Wand. Ihr Bein klebte noch immer an mir. Svenja rückte mir nach, bis ihr nackter Oberschenkel mit der ganzen Länge an meinem lag, sie schien sich mit Nachdruck dagegenzupressen.

»Ich entnehme deiner Hartnäckigkeit, daß die Lage ernst ist und sich nicht mit Osteopathie oder anderen Heilpraktiken behandeln läßt.«

Sie sah mich von der Seite an.

»Und ich hatte schon befürchtet, du würdest dich anstellen. Klar, war es jemand von uns.«

»Warum habt ihr nicht erst mal bei den Jugendlichen nachgesehen?«

»Haben wir. Aber sie sagen, daß Schmoll das gewesen ist.«

»Wer ist *sie*?«

»Interessant«, sagte Svenja. »Daß du nicht fragst, wer Schmoll ist.«

»Sag mal, wird das jetzt ein Verhör?«

Svenja beugte sich vor. Sie lächelte mich an. Blonde, gebogene Wimpern, die Lippen geschminkt. Aber in ihrem Lächeln war nichts. Keine Symphatie. Kein Mitgefühl. Wenn es da etwas gab, dann glich es dem Felsgestein am Ufer.

Das Licht schien greller geworden.

»Wie gesagt, mir ist nichts aufgefallen.«

Sie ließ die Spiralen der Telefonschnur durch ihre Finger gleiten, sie tippte den Hörer an.

»Sie vermuten, daß Schmoll auch das mit dem Ball gewesen ist«, sagte sie freundlich.

»Sagt wer.«

»Du solltest lieber überlegen, was du den ganzen Tag allein im Camp getrieben hast.«

»Kannst du mir mal sagen, worauf du hinauswillst?«

»Ich bin gerade dabei.« Svenja spielte mit der Telefonschnur, mit dem Hörer, sie spielte damit, als hätte sie vor, Berlin anzurufen. Als wollte sie nach Berlin einen Bericht durchgeben, und der Gegenstand dieses Berichts wäre ich, und mein Geld würde nicht einmal bis nächsten Monat reichen.

»Glaubst du, sie findet es aufregend, an Schmoll zu denken, wenn sie dich küßt?« Sie wartete, die Pupillen flackernd wie Sonnenflecken an der Wand. »Erregt es sie, an Schmoll zu denken, *weil* du eine Frau bist?« sagte sie. »Oder *obwohl* du eine bist? Bliebe zu fragen, an was genau sie denkt, wenn sie an Schmoll denkt.« Sie lehnte sich zurück und bedachte das Telefon mit dem freundlichsten Lächeln, das je auf Felsgestein erschienen war. Ein Bleistift rollte vom Tisch.

»Das würde ich auch gern wissen«, sagte ich nach einer Weile. Kalter Schweiß entstand dort, wo sie ihr Bein an meines preßte.

»Jedenfalls«, sagte Svenja, »sollte man nicht über den ganzen Grasplatz brüllen, wenn man was geheimhalten will. Das solltest du deiner kleinen Flamme mal stecken. Tja«, sagte sie. »Es gäbe da allerdings eine Möglichkeit, dich zu retten.« Sie wich meinem Blick aus, sie beherrschte das gut. »Es ist gar keine große Sache. Wirklich. Wenn man bedenkt, wie sauer Uwe sein wird, ist das gar kein großes Ding. Nur ein kleiner Gefallen, um den ich dich bitte. Nur, um meinen Phantasien ein bißchen auf die Sprünge zu helfen, die siebzig Prozent, erinnerst du dich?«

»Was soll das heißen?«

»Denk nach!« sagte sie eindringlich und rieb ihr Bein an meinem, der Schweißfilm zwischen uns erwärmte sich. »Ich sag, hey, baby, und frag dich, ob du mit mir schlafen willst. Jetzt enttäusch mich nicht.«

»Spinnst du?« sagte ich. »Du gehst auch nicht mit jedem Typen ins Bett.«

»Nicht freiwillig, natürlich nicht. Für den Fall, daß du es immer noch nicht kapiert hast«, sagte sie, sie lächelte nicht mehr, »das ist eine kleine Erpressung, ich lege meine Hormone da ganz deutlich auf den Tisch. Schmoll hat dreitausend Euro geklaut.«

»Man sollte vielleicht mal herausfinden, wer sich das ausgedacht hat.«

»Ach, du Schlaumeier. Dann ist alles andere wohl auch ausgedacht.«

»Ja«, sagte ich abwesend. »Ein Großteil des Lebens.«

Ihr Bein glitt auf seiner rutschigen Bahn mechanisch auf und ab, ihr kräftiger, brauner Schenkel, er war mit weichen Härchen besprengt, ich hatte gesehen, wie sie leuchteten, wenn das Sonnenlicht sie traf, jetzt klebten sie vom Schweiß, der sich mischte, den sie mir mit ihrem Auf und Ab zurück in die Poren rieb und der mich von innen mit Panik flutete.

Ich starrte aufs Telefon.

»Wie willst du beweisen, daß ich das war?«

»Keine Sorge. Es ist hier ein Name im Umlauf. Und alles, was ich tue, ist, dich davon zu unterrichten. Ich denke, das ist fair genug. Ich würde unter Umständen die Klappe halten«, sagte sie langsam. »Falls du dich jetzt nicht doch noch anstellst. Das könnte allerdings sehr ungünstig sein. Für dich.«

Als ich nichts sagte, lachte sie.

Sie rieb die Tischkante. »Jetzt mach mich nicht unsicher. Du siehst nicht schlecht aus. Du bist alt genug. Wenn ich dich küsse, werde ich nicht vergessen, daß du eine Frau bist.«

Hinter ihr an der Wand hingen Bilder von Seen, Landkarten, Stecknadeln, wo Landkarten mal gehangen hatten, ich spürte nichts. Nicht mal Abneigung.

Svenja in ihren Halbstiefeln aus Gummi.

Svenjas Schweiß.

Die gekräuselten, blonden Locken. Sie hatte mir die

wirksamste Behandlungsmethode gegen Mückenstiche erklärt. Sie hatte mich gehalten in ihrem Zelt, noch halb im Schlaf.

Und jetzt das harte, blanke Gesicht. Sie hatte Chirurgin werden wollen, für so ein gefaßtes Gesicht hätte man in diesem Beruf sicher Verwendung gehabt.

Der Regen verschob die Konturen.

Er setzte Dinge miteinander in Beziehung, die nichts miteinander zu tun hatten, der Junge war nicht mehr da, die Klamotten waren verstaut, das Boot hatte ich am Steg festgemacht, der Regen löste Zusammenhänge auf. Ich wußte nicht, was Svenja für Zusammenhänge sah. Schleichende Gifte, die hochkommen, wenn sich ein Bündnis verbraucht.

»Denk nach!« sagte sie und nahm den Telefonhörer ab. »Dreitausend sind kein Witz.«

»Dann komm her«, sagte ich ruhig. »Wenn du's wissen willst. Mach die Bluse auf!« Ich tat nichts. »Mach sie auf. Ich werde dich anfassen. Grob. Ich halte dich an den Haaren, und du wirst naß. Du wirst in die Knie gehen. So, daß ich deinen Mund schön zwischen meinen Beinen habe. Allerdings bist du ein bißchen zu vorsichtig, ein paar Trippelschritte auf dem Fensterbrett, eine Pirouette an der Scheibe, vielleicht sollte ich dir lieber ordentlich den Finger geben. Oder die Hand? Du wirst es genießen, du bist schön, draußen fangen sie an, Planen über den Essensplatz zu ziehen.«

Draußen zogen sie Planen über den Essensplatz, die Ralf an Holzpflöcken verschnürte. Das Surren des Rädchens im Stromzählerkasten war zu hören.

»Wow«, sagte Svenja. Der Hörer pendelte von ihrer Hand. »Wenn ich hochmütig wäre, würde ich dich jetzt verachten. Aber mit dir kann man eigentlich nur Mitleid haben. Ihr seid vielleicht scheiße drauf.«

»Ja.« Ich stand auf. »Und jetzt werde ich mal das Zeug reinräumen, es regnet.«

Ich holte mir Gummistiefel aus dem Teamerzelt, sie standen aufgereiht neben dem Ofen, wer sie brauchte, zog sie an.

Ich sah eine Weile in den Regen. Ich stand links vom Plastikfenster, das in die weiße Zeltwand eingelassen war.

Vom Büro aus mußte mein Gesicht zu erkennen sein, eine bleiche Folie vor offenem Hintergrund. Mir schien, alles mögliche konnte passieren, nachdem auch Svenja nicht mehr einschätzbar war, nicht mehr als die anderen, *bored fucks*, wie Sabine wahrscheinlich sagen würde. *Bored fucks* hin oder her, die gerissene Spannleine am Morgen, Schmoll, der leere Grasplatz. Sie bildeten eine geschlossene Front, wer verließ sich schon auf Sabine.

Ich versuchte, dagegen anzugehen. Aber alles, woran ich dachte, zog sich vor mir zurück.

Es war wie beim das Verlassen der nächtlichen Bars, morgens, wenn es auf den Straßen nach Männerpisse roch und Ratten im Rinnstein verschwanden, die Tür fällt zu, man steht grau und erschöpft an der Bushaltestelle, und der Bus fährt nur im Zwei-Stunden-Takt, Paare laufen vorbei, müde, aber Arm in Arm von der Wärme des anderen gehalten, und an Morgen wie diesen sind es immer eine Frau und ein Mann.

Paare, die sich am Grau und den Ratten nicht stören, die sie gar nicht bemerken, und wenn jemand pöbelt oder ihnen vor die Füße kotzt, zieht sich die Frau in den

Schutz seines schweren Körpers zurück, es ist ein Körper, dem sie beide vollkommen vertrauen.

Paare, vor deren Sicherheit man schwankt. Deren Anblick einem zeigt, wie man auszusehen hat, um diese Sicherheit zu verdienen.

Paare, unter deren festen Schritten man das eigene Leben wegbrechen hört, und niemand, der dann sagt, dieser Zustand sei doch normal, da brauche man sich keine Sorgen zu machen.

Ich war müde. Ich hatte den Kopf obenhalten wollen, egal, was kam, obenhalten und *Weiterleuchten!* Und ich hielt ihn oben, und das Feuerzeug schlug leere Funken.

Ein X-beiniges Mädchen in Kindersandalen würde da nichts ändern können. Eine Frau in wippenden Röcken. Mit fliegendem Zopf.

Es war lächerlich, das jemals angenommen zu haben. Immer wieder machte jemand die Tür zu, und man stand an der Haltestelle, und ein Paar lief vorbei. Egal, wie weit hergeholt die Tricks waren. Egal, wie konsequent man sich verhielt.

Nach einer Weile wurde jedes abweichende Verhalten abgeschliffen.

Vielleicht war Siri auch gar nicht konsequent.

Vielleicht war es ganz banal. Vielleicht mußte sie nur für eine Weile untertauchen. Sie hatte aus Deutschland verschwinden müssen, irgendeine unangenehme Sache, vielleicht ein Mann, und sie konnte sicher sein, in diesem abgelegenen Haus würde niemand sie finden. Vielleicht brauchte sie Geld und hatte am Ende sogar etwas mit dem Diebstahl zu tun, ein Gedanke, den ich allerdings sofort verwarf.

Schmoll lächelt, hatte sie in der Nacht am Feuer gesagt, *wie Sie noch nie gelächelt haben. Sein Lächeln beansprucht andere Muskeln, wußten Sie das, sie liegen ein Stück unter den Muskeln, die Sie benutzen.*

In der Ferne hörte ich Ralf, *das sind Kindereien, das kann schiefgehen, Mann!* Sie waren irgendwo hinter dem Schuppen.

Ich lächelte und sah mein Spiegelbild. Ich schaute mich im Zeltfenster an, mich oder den Jungen, wir wußten nicht, zu wem dieses Lächeln gehörte, es veränderte mich, es fügte meinem Gesicht etwas hinzu.

Dann kamen die anderen wieder dazwischen. Svenja mit ihrem Eifer, mit ihrer Potenzprotzerei, dreitausend Euro, das war doch auch nur ausgedacht. Svenja schien es um mehr zu gehen. Um die Grenze. Um den Reiz, sie zu überschreiten, und ihr miserables Gefühl dabei. Alles wie gehabt.

Svenja hatte die Grenze überschritten. Und sie hatte mir den grundlegenden Unterschied zwischen uns klargemacht. Ein Unterschied, der für sie so offensichtlich war, daß sie es gar nicht nötig gehabt hätte, ihn mir zu zeigen. Sie tat es trotzdem. Das hatte mit ihrem miserablen Gefühl zu tun. Auch das war wie gehabt.

Der Unterschied bestand darin, daß Svenja sich nie wirklich aussetzen würde. Sie konnte arbeitslos, mittellos, sie konnte unglücklich und einsam in einer gleichgültigen Gesellschaft sein, aber der Wunsch dazuzugehören würde sie nie verlassen.

Es war wie gehabt, und keine dieser Überlegungen schützte mich.

Ich kam mir schäbig vor. Schäbiger noch als nach Ralfs Übergriff.

Ich hätte kündigen können, aber ich konnte nicht gehen.

Ich baute die leeren Zelte auf dem Grasplatz ab. Ich verstaute die nassen Pakete bis auf weiteres in den Regalen im Geräteschuppen, das war sinnlos, irgendeiner räumte sie dann morgen wieder raus. Die Regenkluft dampfte, ich schwitzte von innen gegen sie an. Den Ball ließ ich draußen.

›No gays!‹ sah man durch den Ginster hindurch, der dunkel vom Wasser war.

Ich stand jetzt früher auf. Die Handtücher waren klamm. Enten trieben im Schilf. Vor Lennartsfors ankerte ein Kran. Die nebligen Ufer lagen halb im Licht, aufgeschäumtes Gelb der Algen, das unter den Bootssteg drang, das flache Klatschen der Boote, wie scharf hier alles am Morgen geschnitten war, manchmal leuchtete der Grund. Ich warf mich ins Wasser, das Wasser trug mich.

Ralf trimmte sich morgens nicht mehr an der Bank. Vielleicht machte er seine Übungen jetzt an der Badestelle. Sie war zur Straße hin von Sanddornbüschen verdeckt; aber den See sah man von dort in alle Richtungen ein.

Als ich nach oben kam, saßen sie vor dem Küchenzelt. Bis in die Nacht hinein hatten sie Material sortiert und aufgeräumt, jetzt saßen sie in Shorts auf den Bierbänken, es gab Kaffee und Müsli und geräucherten Fisch. Sie waren gut gelaunt. Oder es machte wegen der Lautstärke diesen Eindruck.

»Na? Spaß gehabt?« Ralf hatte sein orangefarbenes Lieblingsshirt an, er legte schützend seinen Arm auf die Postkarte, die er gerade schrieb. »Ob du Spaß hattest, habe ich gefragt.«

Ich hängte meine Schwimmsachen auf.

»Klar.« Ich setzte mich neben Sabine.

»Fein. Wenn wenigstens einer Spaß an der Sache hat.«

»Woran Spaß«, sagte Marco, er war noch nicht ganz angekommen. Er hatte säckeweise Grillkohle aus Berlin mitgebracht.

»Ich glaube, Anja will uns was anbieten. Freies Körperkulturprogramm. Mußt nur sagen, wie du's haben willst. Sie macht so ziemlich alles.«

»Ralf!« ermahnte ihn Sabine mechanisch.

»Das nennt man, glaube ich, Rückzahlung von veruntreutem Kapital. Haste Bedarf?« sagte Ralf unbeirrt zu Marco. Er grinste mich an. »Dreitausend. Dreitausend waren es doch?«

»Unsexy ist sie ja nicht.« Svenja stand auf. Sie stieg rückwärts über die Bank. »Und wenn's nicht der Reihe nach geht, stell ich 'n Wachposten auf.«

Sie schüttete einen Kaffeerest auf den Kies.

»Leute, was ist 'n hier los?« Marco drehte sich um. »Das ist ja hier gehässig geworden wie in einem beschissenen Jungyuppie-Büro!«

Svenja lachte und lief ins Zelt.

»Ich dachte, daß die Jungyuppies ganz zufrieden sind«, sagte ich.

»Ja. Zuerst haben sie abgeräumt«, sagte Marco. »Aber dann kam der Krach. Meine Ex hat das voll abgekriegt. Ich hab ihr gleich gesagt, mach das nicht; viel zuviel Westen.«

»Wo ist da das Ost-West-Problem«, sagte Wilfried. »Ein Börsenopfer in der Familie hat auch bei uns inzwischen jeder.«

Er fuhr ein Klappmesser aus, er warf es wirbelnd in Richtung Wald.

»Ich hatte recht«, sagte Marco ruhig. »Der Westen hat uns annektiert. Und jetzt behandelt er uns, als lebten da nur noch Bären und Wölfe.« Er wandte sich an Sabine. »Kann mir jetzt mal einer sagen, was bei *euch* eigentlich los ist?«

»Das mußte Ralf und die Chefin fragen«, sagte Sabine mutig, »sonst sind hier nämlich alle ganz *easy* drauf.«

»Jeder kriegt irgendwann sein Fett weg!« Ralf griff unter dem Tisch nach dem Ball, er umarmte ihn, er legte sein Kinn darauf. »Heilige oder Arschkriecher, jeder«, sagte er. »Das kann ich euch versprechen. Das ist nämlich eine absolute Anschwärzergesellschaft ist das doch hier.«

»Sag mal, Marco, wart ihr nicht sogar verheiratet?« Sabine schien unbedingt den Eindruck eines normales Gespräches aufrechterhalten zu wollen. »Zockt sie dich ab?«

»Ja, aber was soll ich groß machen? Sie ist in ihre Kleinstadt zurück. Die paar Männer, die da noch übrig sind, leben im Suff. Da kann sie froh sein, wenn sie nicht mit 'ner polnischen Nutte verwechselt wird.«

»Also da würde ich ja absolut *crazy* gehen!«

»Na, du lebst ja auch gedanklich im Reservat.« Ralf richtete sich auf und fuhr Sabine tröstend über die Schulter, ins Haar, der Halbindianerin, der Möchtegernschamanin, die in Dresden geboren war, im Funkloch, wie er sagte, »nicht wahr, Binchen«, ich drehte mich weg.

Ein paar Touristen kamen den Waldweg herauf, Deutsche, sie wollten wissen, ob der Schriftzug an den Booten nicht Verarschung sei, sie wollten ihre schlichten Silberbauchboote zurück. Aber Uwe hatte die Order ausgegeben, sich dazu nicht mehr zu äußern. Er hatte einen Service-Point eröffnet in einer der Holzhütten oberhalb der Wiese auf dem Dauercamper-Platz. Zwei junge Frauen aus Berlin hatten von zehn bis vier in der offenen Tür gesessen in einer Art Schwesterntracht, *mal eine ganz orginelle Idee*, wie Ralf dazu gesagt hatte. Bei Beschwerden hatten sie Namen und Anschriften aufgenommen und versichert, das sei alles kein Problem, *kein Problem* immer im selben Ton. Die meisten der Urlauber waren nur einmal dorthin gegangen. Nach drei Wochen wurde der Service-Point wieder geschlossen.

»Marco braucht Geld«, sagte Sabine später zu Svenja im Küchenzelt. »Seine Exfrau nimmt ihn *I mean really* aus.«

»Das kommt davon, daß sie zuviel Sperma intus hat«, sagte Svenja laut.

Ich hielt mich im Camp auf, ich ging nicht nach Lennartsfors, das Licht stand grell und schattenlos über dem Platz. Es sah wie eine falsche Beleuchtung aus.

Der Platz glänzte. Er lag da wie unter einer Schicht Öl. Es war eine Oberfläche, die nie riß, die sich immer sofort wieder schloß, wenn ein Körper in sie eingetaucht war. Ich versuchte, nicht panisch zu werden.

Später schickten sie mich zum Steg. Ich sollte durchzählen, wie viele Boote verfügbar waren. Morgen würden die Busse kommen.

Am Strand war noch die Spur des Kanus zu sehen, das wir über den Sand hochgeschleift hatten, früh am Morgen, als es noch dunkel gewesen war, Siri war dann nach Lennartsfors gelaufen. Ich zählte die Boote nicht. Meine

Knie gaben nach, und ich setzte mich auf ein umgekipptes Kanu. Ich saß eine Weile da und hörte mich atmen, und mein Herz fing zu rasen an.

Ich dachte fieberhaft an Trollön.

Ich dachte an ihren weißen Schatten auf dem See. Ich dachte an das flache Feuer.

An ihr offenes Haar. An einen blauen Fleck am Ellbogen. Nach einer Weile beruhigte mich das. Es brachte den Jungen zurück. *Der Junge.* So dachte ich ihn. Grob, schlecht umrissen, erregbar und abhängig von dem, was sie sah. Was sie in mir sah, leichtfertig und unbeholfen, vielleicht stellten wir uns beide zuviel vor.

Ich stellte mir Schmoll wie einen meiner Brüder vor. Braunes, immer in die Stirn fallendes Haar, groß, aber nicht kräftig. Er hatte diesen mit guten Manieren ausgerüsteten, aber blassen H&M-Körper. Tadellos abgeflachte Brust, leichter Muskelbesatz am Oberarm, helle, von der Sonne gebleichte Strähnen im Haar, vielleicht hatte ich ein paar seiner Gewohnheiten angenommen, nachdem wir das Bett nicht mehr teilten. Aber das war nicht endgültig zu entscheiden, und ich mußte mich damit abfinden, daß ich, während ich Siri deutlich vor mir sehen konnte, den Jungen zwar fühlte, mir seiner aber nicht sicher war.

Ich sah sie am Strand.

Auf Trollön.

Ich sah sie in diesem Auto am Nachmittag. In den Feldern von Fågelvik. Sie war eingesperrt in einem Jaguar, gekidnappt wäre das passende Wort, vielleicht hatten diese beiden das schon öfter versucht.

Siri hatte es wie ein Abenteuer erzählt. Sie hatte mir vorgeführt, wie ihre Angst sich zuerst gesteigert und dann wieder verflüchtigt hatte. Die Angst. Die sie so gut handhabte. Die sie handhabte, als solle alles nur auf die banale Pointe hinauslaufen: zwei Schweden, die die Autobahnausfahrtsschilder in Deutschland für Ortsnamen halten.

Ein diffuses Licht kam mit dem Wind flach über das Wasser.

Ich wußte nicht, was an diesem Tag im Auto noch geschehen war. Siri war aufgestanden vom Steg, ohne die Geschichte zu beenden.

Ich hatte nur die Möglichkeit, mir vorzustellen, was geschehen sein könnte.

Ich versuchte, mir das gut vorzustellen. So lebendig wie möglich. Ich versuchte, im Kopf den Tonfall ihrer Stimme zu imitieren. Ich sah sie in dieser Szenerie:

Sie sitzt im Auto. Es ist heiß. Es ist stickig, obwohl die Luft draußen langsam kühl werden muß, ein rot eingefärbter Horizont, immer noch ist kein Fenster geöffnet.

So etwas sollte ihr eigentlich nicht passieren, findet sie, daß man mit Handy ohne Verbindung in eine Falle geht. Sie weiß nicht, wollen die Männer Unterhaltung oder Sex, Sex oder Spionage oder etwas anderes mit S, vielleicht gibt es einen Kriegshintergrund, auch daran muß man bei dieser Generation denken.

›Was wollen Sie‹, sagt sie an diesem Abend zu diesem Mann, als es dunkel ist. ›Einen Song? Eine Story, ein Sonett, einen Strip? Wollen Sie vielleicht, daß ich strippe? Hier auf dem Sitz. Oder soll's lieber auf dem Schoß sein.‹

›Oder gar nicht‹, sagt Pfefferkorn. Der, der Erik heißt, spielt mit seiner Hand.

›In Ordnung‹, sagt sie. ›Hören Sie. Hören Sie zu. Irgendeinen Sinn muß dieses Herumsitzen ja haben.‹

Dann Stille, draußen bewegen sich Blätter im Wind. Vielleicht ein Tier. Das Knacken von Fingerknöcheln.

›Seit Tagen gibt es nichts als diese Kälte‹, sagt sie zu den beiden Männern im Jaguar. ›Kälte und Regen und feuchtes Moos. Nachts liegen Marder ungeschützt auf den Wegen. Ich laufe. Hören Sie zu?‹

›Sehr‹, sagt Pfefferkorn.

›Ich laufe, Nebel sprüht gegen meine Waden. Ich trage eine Regenjacke, ich laufe Dorfstraßen entlang. Ich habe vergessen, wer ich bin. Ich laufe jede Nacht.

Ich laufe unsicher, die Richtung bleibt unbestimmt. Ich drehe mich nicht um. Die Welt ist gläsern geworden, seit ich ihm begegnet bin. Wenn ich *ihm* sage, werden Sie denken, ein Mann. Aber es ist ein Junge. Verstehen Sie, was der Unterschied ist?‹

›Absolut.‹ Der, der Erik heißt, zündet sich eine Zigarette an.

›Die Welt ist gläsern geworden, durchsichtig. Nichts unterscheidet sich. Nichts hebt sich ab. Nicht einmal er. Ich kann ihn nicht sehen.

Weder seine Hände.

Noch seine Lippen.

Nichts.

Ich bin unterwegs. Ich habe nur eine Vorstellung von ihm. Ich muß ihn finden. Ich schlafe in blumigen Zimmern, durch die Ritzen der Vorhänge fällt Neonlicht, die Köpfe der Trachtenpuppen sind auf Holzstöcke gespießt und bemalt, eckiger Haarschnitt, flache Nasen, Dirndl.

Einmal fragte er: »Verlieben Sie sich oft?« Ja, oft. In einen warmen Tag, in einen blauhalsigen Vogel, in eine

Meerenge, in Zahlen, in eine schlanke, funkelnde Flasche. In Räume. Doch, oft. Ein einziges Mal in einen Schiffsjungen. Er ging weg. Deshalb werde ich kein Haus an der Küste suchen‹, sagt sie. Eine Zigarette glimmt auf, der Schein trifft das Autodach. ›Nie. Verstehen Sie?‹

Der, der Erik heißt, hat dunkle, geweitete Augen. Er nickt. Sein Gesicht im Glühkreis der Zigarette.

›Ein Schiffsjunge‹, sagt sie. ›Können wir ein Fenster aufmachen? Nur ein Stück? Ein Schiffsjunge‹, sagt sie, ›hinter seinem Kopf lag der Horizont voller Schnee. Manchmal, wenn ich ihn suche, öffne ich weit die Augen, der Schnee fällt hinein und schmilzt.‹

Im Auto ist es still. Die Zigarette glimmt. Sie hat sich zurückgelehnt. Pfefferkorn atmet. Man sieht, wie die Fensterscheibe rhythmisch beschlägt.

›Gut‹, sagt der, der Erik heißt. ›Gut.‹

Die Knöchel seiner linken Hand klopfen gegen die Scheibe.

Man hört die Knöchel und das Rascheln der Gerste im Wind.

Ich wurde an diesem Tag noch zweimal zum Steg geschickt. Beim zweiten Mal kamen die anderen mit. Sie trauten mir nicht. Sie fanden, ich hätte mich geirrt, es müßten eindeutig mehr Boote sein, *deine Pißunkorrektheit läßt sich echt langsam nicht mehr tolerieren*, wie Wilfried gesagt hatte, gewöhnlich hielt er sich zurück. Aber er hatte sich die Hand an der Hobelmaschine bis zum Knochen aufgerissen, seit Tagen saß er untätig auf der Bank am Schuppen.

Als wir zum Ufer kamen, sah ich Siri drüben am Steg. Sie drehte ihr Haar, sie steckte es am Hinterkopf fest.

»Hey, das ist privat!« rief ich. »Du kannst hier nicht dauernd auftauchen«, sagte ich leise, als ich bei ihr war. »Das gibt nur Streß.«

»Aber Schmoll. Sie haben doch gesagt, Sie würden hier warten.«

Sie hatte ein buntes Leinenkleid an, eckiger Ausschnitt.

»Die Rockerin gibt eine Party. Hast du Lust mitzukommen?«

»Ich tanze nicht, Schmoll. Das wissen Sie doch.«

»Sag nicht immerzu Schmoll! Wenigstens nicht öffentlich.«

Sie zog an einem Grashalm, der einzeln zwischen den Steinen wuchs.

»Sag es wenigstens nicht so laut. Nicht vor den anderen.«

»Sie haben Angst, was?« sagte sie zu den Steinen.

»Das ist nicht schwer zu erraten.«

Ich holte Luft.

»Sie wollen mich gar nicht wiedersehen?«

»Doch«, sagte ich, »aber könnten wir, was das Flirten betrifft, das ab jetzt woanders machen?«

Ihr Kleid war wie immer zu kurz, es flatterte ihr um die Beine.

Bei den Booten holte jemand den Kescher ein.

»Sie denken, Sie könnten die Wellen nachmachen, nicht?« sagte sie. »Erst spülen sie alles mögliche an, aber dann nehmen sie es wieder weg, und zwar so gründlich, daß danach viel mehr fehlt, als jemals dagewesen ist.«

Jemand pfiff, sie sah nicht hin.

»Du sprichst in Rätseln.«

»Nein, das tue ich nicht, Schmoll.« Sie sah mich an,

den Jungen, den geschminkten Jungen am Bahnhof Zoo, der von allen zu kaufen war.

»Ich bin nicht Schmoll!«

»Warum wollen Sie mich kränken?«

Ich hatte es nicht für sie gesagt, es war bestimmt gewesen für die anderen bei den Booten.

Aber sie hatte recht. Ich kränkte sie. Ich kränkte sie, weil ich dem, was die anderen dachten, immer noch zu viel Gewicht gab. Ihr mußte es vorkommen, als hätte ich die ganze Zeit nur die anderen gesehen, nicht sie. Mit ihr hatte ich mich nicht besonders bemüht.

Mein ganzes Leben hatte ich mich nicht ein bißchen bemüht, dachte ich, immer kam alles auf die anderen an, die anderen bei den Booten, die anderen irgendwo, auch, ob ich mich verliebte oder nicht, hing letztendlich von anderen ab, das war deutlich. Und was würden die schon sehen, *eine coming-of-age-story*, würde Sabine sagen, aber daß ich jünger wurde dabei, das hätten sie nicht im Blick. Ich hörte sie in der Ferne, ich hörte Svenja, die sagte, *guck dir doch an, wie die Dinge sind*, nur der Junge hatte inzwischen eine Erektion, wie Siri so dahockte vor mir im Sand und nur halb angezogen war.

Über mir war der Himmel weit.

»Was ist mit Ihnen? Sie sind ganz blaß.«

Über mir stechendes Blau. Es fing an auseinanderzutreiben, es öffnete sich, sog mich ein, ich taumelte. Ich stürzte und fiel vor sie hin.

Ich blieb auf dem Rücken liegen. Die Augen geschlossen. Ich atmete nicht.

Ich hörte Bienen, die den Sanddorn beflogen.

Ich lag wie tot, und dann fiel kühl ein Schatten auf mein Gesicht. Siri fühlte meine Stirn. Sie streichelte meine Wange. Sie legte ihr Ohr auf mein Herz, sie untersuchte mich, und ich spürte ihren Körper, durch die Wimpern strömte der Himmel. Er war sehr hoch und bis ins Endlose hinein verlängert, ein tiefer werdendes Blau, und dann nahm es die Form einer Blüte an, einer ins Firmament getriebenen Blüte, ihre glänzenden Blätter öffneten sich, wuchsen mir entgegen, legten sich mir wie ein Kragen an den Hals, dann spürte ich Siris Mund.

Ich küßte sie.

»Hören Sie auf!« rief sie empört. »Sie simulieren ja nur! Sie stehen jetzt auf!«

Sie zog mich hoch. Sie zwang mich aufzustehen, und ich stand auf, und der Himmel sah wieder wie Himmel aus.

»Erinnerst du dich zufällig an einen Schiffsjungen?« flüsterte ich.

»Ein Schiffsjunge?«

»Das bin ich.«

»Was?«

»Der Schiffsjunge. Um den geht es doch die ganze Zeit, oder nicht?«

»Wovon reden Sie, Schmoll?«

»Du denkst, er würde zurückkommen. Hat er nicht gesagt, er muß in den Norden, als er dich verlassen hat? Anheuern bei den Hurtigrouten? Auf einem der Postschiffe, die durch die Fjorde fahren? Und du dachtest, du könntest ihm entgegengehen. Deshalb hast du dir ausgerechnet hier ein Haus gekauft, oder nicht? Du denkst doch, wenn du hier wartest, dann kommt er zurück. Dann ist es nicht mehr so weit für ihn. Nur scheint er das bisher noch nicht mitbekommen zu haben. Oder war er schon da? Hat er dich schon mal besucht in deinem neuen Haus? Habt ihr zusammen Einweihung gefeiert?«

Ihre Augenlider waren schmal zusammengerutscht, wachsam, aber das kam auf die Perspektive an, und meine war nicht besonders sicher.

»Ein Schiffsjunge, Schmoll? Davon müssen Sie mir erzählen. Ein Schiffsjunge wäre aber ziemlich selten zu Hause.«

»Nein«, sagte ich, die Stirn fiebrig. »Du mußt es mir jetzt sagen! Du mußt mir sagen, wie ich es machen muß. Wie stelle ich es an? Ich muß es wissen. Ich habe doch sonst, ich habe doch gar keine –«

»*Was* haben Sie nicht? Mein Lieber! Haben Sie immer noch Angst?« Sie griff nach meinem Bein. »Übrigens, Ihre Hose ist auf.« Mit einer Hand zog sie den Reißverschluß hoch. Ihr Nacken nur wenig entfernt, ihre Brüste freiliegend unterhalb des Schlüsselbeins.

»Tut Ihnen was weh?«

Ich war erschöpft. »Ich hab nur simuliert.«

»Ich weiß«, sagte sie hell. »Aber warum flüstern Sie?«

Sie schob den Kleidsaum höher. Mir war heiß, und sie faßte mich an, die Hüfte, den Oberschenkel, mich oder den Jungen, sie tat es richtig.

Sie spielte mit meiner Hand, sie schob sie unter das Kleid, ich ertastete ihren Tanga, Spitze, fast nichts, dieses Stück Stoff, ein unwahrscheinlich schmales Dreieck. Ich trug so etwas nicht. Ich hatte so etwas noch nie angefaßt. Mein Kopf brannte.

Im Dunst des Ufers wurden die Umrisse matt. Das Glitzern des Sees, die blendende Helligkeit, flirrende Blätter und stürzendes Licht ließen ihren Körper vor den

Schatten des Schilfs verschwimmen. Sie machten ihn undeutlich, sie brachten ihn fast zum Verschwinden.

Ich aber wollte klare Konturen, Kontrast, sobald ich der Junge war.

Er begehrte sie. Das war jetzt sehr klar, sehr körperlich, vom Brustkorb an abwärts schmerzhaft real.

Meine Brüder setzten ihre Körper direkt und aufrichtig ein. Als sie ihre ersten Freundinnen gehabt hatten, stramme Mädchen mit Piercing im Bauch, hatten wir die Nächte nicht mehr zu dritt in einem Zimmer verbracht. Ich war auf eine Couch umgezogen. Durch die dünne, blumengemusterte Wand hatte ich sie flüstern gehört. Das kleine Erschrecken, das nicht immer von den Mädchen kam.

Das war, bevor man mir eine eigene Wohnung gegeben hatte, in einem schlichten Viertel von Halberstadt. Plattenbauten, aufgegrellte Fassaden, sozialistischer Rest, kurz vorm Abriß.

Manchmal hatten sie mir erzählt, wie sie sich umständlich die Hosen hatten ausziehen lassen, manchmal hatten sie Fotos davon gemacht, und ich hatte mir eingebildet, ich würde, wenn ich mit einer Frau zusammen war, ein ähnliches Körpergefühl haben.

Schmoll, Sie hören mich einfach nicht.

Wieder hatte sie recht. Ich mußte erst mal raus aus dem Körper, dem Kopf, der angefüllt war mit alten Geschichten. Ich mußte dem Jungen Raum schaffen. Ich mußte aufhören, dreißig Jahre in unseren Gesichtern zu sehen, es war egal, wie alt wir waren. Woher wir kamen. Wie wir lebten. Wer sie war. Das war es, wonach die anderen fragten. Der Junge war schon viel weiter.

Aber noch immer dachte ich ihn getrennt von mir,

wie angelesen. Und jetzt saß er da, vor ihr im Sand, ein Bein angewinkelt, das Knie zerschrammt, und spielte mit ihrem Kleid. Fürchtete sich. Er wollte sich nicht zu früh zu erkennen geben, er hatte Angst, neugierig zu sein, aber er war neugierig und eckig und strahlte sie an.

»Ich möchte vielleicht doch tanzen«, sagte Siri plötzlich, ich zog meine Hand zurück.

Sie nahm meine Hand. »Sie wissen schon, was Sie wollen.« Sie nahm meine Finger in den Mund, einzeln. »Und es gefällt mir«, sagte sie dann, sie nahm einen Finger nach dem anderen in den Mund. »Es gefällt mir.«

»An wen erinnere ich dich.«

Sie legte die Hand weg. »Aber Schmoll!«

Als sie hinunterlief zum Steg, schlug ihr Zopf rechts und links aus.

»Machen Sie doch nicht alles so rätselhaft«, rief sie. »Es ist doch ganz einfach.«

Es war einfach.

Mit ihr auf die Party zu gehen war einfach. Sich versteckt hinter den Tanzenden zu halten war einfach. Wie er in der Getränkeschlange stand und zwei Gläser Limonade kaufte und zwei Strohhalme nahm, war einfach. Wie er sich vorsehen mußte, um in der Menge nicht anzustoßen und alles zu verschütten.

Er trug das Glas zu ihr herüber.

An seinen Turnschuhen klebte Sand. Seine Füße waren zu groß. Und die Schultern. Sie würde seine Schultern nicht mögen. Sie waren knochig. Wie sollte er sie jemals in eine runde Form bringen, schmiegsam machen und angenehm, was wußte er schon, was wußte er überhaupt von Mädchen, außer daß man von ihnen abschreiben durfte, wenn man einmal ihr Freund geworden war, und schon das war schwierig.

Er kickte einen schlaffen Luftballon vom Boden hoch. Er nahm ihn mit dem Spann wie ein Profi, ohne die Limonade zu verschütten, und er hoffte, sie würde das sehen.

Und machte es gleich noch mal.

So in etwa.

So in etwa jedenfalls war es leicht.

Die Rockerin hatte ihr ganzes Leben in Lennartsfors verbracht. Auf ihre Parties kam vor allem die Nachbarschaft. Man tanzte in einem nackten, mit knittrigen Luftschlangen beworfenen Saal, der außerhalb der Ferien der Schulspeiseraum war. Es gab Kekse und Salzstangen und Rotwein aus Tetrapaks, und zum ersten Mal waren auch die anderen da.

»Irgendeiner war's«, sagte Marco. »Einer aus diesem trüben Kaff. *Fucking Åmål*. Einer von diesen ganzen Untoten hier.«

Sie hatten den Tag arbeitend in der Sonne verbracht, am brütend heißen Strand, baumlos unter der Hitze, zum Baden blieb keine Zeit, morgen kamen die Busse, und Uwe hatte sich angekündigt.

»Soll hier bald noch 'n Wintercamp geben«, sagte Svenja. »Uwe will verlängern, sonst klingelt die Kasse nicht. Dann sollen die Leute Extrem-Zelten machen, Fischen im Eisloch, vielleicht kriegt er sogar das Elefantentreffen her, Motorradfahren im verschneiten schwedischen Hinterland.«

»Also da sehe ich mich ja überhaupt nicht«, sagte Sabine.

»Na, du kannst doch wieder in deine Steppe abzischen«, sagte Wilfried. »Aber fragt mich einer, ob ich in so 'nem Büro als Akten-Assi anfangen will?«

»Irgendeiner muß es ja gewesen sein«, sagte Marco.

»Ja. Und das finden wir jetzt raus. Sonst gibt's hier noch 'ne Kündigungswelle«, sagte Svenja. »Ich wette nämlich, daß Uwe sich nicht mit Gerüchten abspeisen läßt.«

Ich sah nicht mehr hin. Ich ignorierte, wie sie da an der Wand lehnten, Plastikbecher in der Hand, ich stellte mich vor eine der Boxen, so daß nur noch Fetzen herüberdrangen, *die Turbo-Schere zwischen Arm und Reich und keine Alternativen ... die verlorene Disziplin oder Utopie oder wie man sonst dazu sagt ... jemand hat alles gegen die Wand gefahren ... die Misere auf dem Arbeitsamt, überhaupt auf den Ämtern ...*

Siri stand neben der Tür. Sie hatte die Arme verschränkt. Über ihr drehte sich ein halbierter, mit Spiegelsplittern beklebter Gummiball. Er sprengte rotes und grünes Licht in den Raum. Ihre Lippen schnappten nach dem Strohhalm.

Ihre Augen sahen zu mir.

Ich war jung. Keine achtzehn.

Und ich wußte nicht, wie die Veränderung zustande gekommen war, wie es sein konnte, daß in diesem einen Körper noch ein anderer war, so, als gäbe es zwei Muskulaturen, zwei Schichten Haut, aber durch eine feine Lage Luft voneinander getrennt und an unterschiedlichen Punkten an einem Stützskelett aufgehängt, und jede dieser Schichten schien andere Schmerzpunkte zu haben. Die Heftigkeit, mit der ich zwischen beiden wechselte, brachte mich fast um den Verstand.

Sie betrachtete ihn.

Sie sah nichts als ihn. Als wäre die Umgebung, als

wären Getränkeschlange, Gummiball, die Freunde der Rockerin und die, die ich einmal war, als wäre das alles verschwunden.

Er tanzte. Zu N'Sync. Zu Annie Lennox. Er tanzte zu den Doors, zu Depeche Mode, Marvin Gay und Archive. Er war ein Junge noch ganz ohne Vergangenheit, bis auf die centgroße Narbe am Knie, die er sich beim Rollschuhfahren eingehandelt hatte; er hatte sich angeberisch an den Gepäckträger eines vorbeikommenden Radfahrers gehängt, um sich ziehen zu lassen, und dann hatte der Radfahrer beschleunigt. Er war ein Junge mit hellen Augen und einer Pigmentschwäche, eine kleine, weiße Flechte zog sich an seiner Schläfe hoch, ein Junge, der zum Beat den Kopf in den Nacken warf und dem die Hose ein bißchen zu tief auf der Hüfte hing.

Die Narbe am Knie hätte er ihr gern einmal gezeigt.

Er tanzte zu Moby. Morcheeba. Air. Zu Heather Nova, Goldfrapp und Paul Oakenfold, ein ziemlich wildes Repertoire. Er tanzte zum ersten Mal und für sie.

Was nicht hieß, daß er besonders geschickt war. Eigentlich stellte er nur abwechselnd einen Fuß neben den anderen und bewegte sich, mit Ausnahme des Kopfes, fast nicht.

Irgendwann machte sie ihr Haar auf.

Sie hatte sich halb von ihm weggedreht, und er sah, wie es schwer über ihren Rücken fiel und endlich das leuchtende Weiß, diese nackte Haut von Schultern und Nacken den fremden Blicken entzog. Endlich war ihre Blöße bedeckt.

Aber es war entsetzlich. Er hielt es nicht aus, diese erste intime Geste so vor den anderen preisgegeben zu sehen, er zog sie nach draußen.

»Schmoll. Was machen wir jetzt.«

Er legte ihr vorsichtig eine Hand an die Hüfte. Er fühlte den Stoff und den Knochen darunter, und beide sahen sie die aufgefächerten Sterne. Es war gut, so im Dunkeln und eng beieinander zu stehen. Es war einfach. Drinnen drehten sie die Musik noch ein bißchen auf.

»Mal sehen«, sagte ich.

Ich konnte mich nicht bewegen, nicht wie gewohnt, sonst wäre diese flirrende Erregung verschwunden, ich kannte den Jungen noch zuwenig.

»Soll ich irgend etwas Bestimmtes tun?«

»Sie können tun, was immer Sie wollen.«

»Ja, aber muß ich mich nicht ganz anders verhalten?«

Sie lachte leise.

Irgendwo vor uns, in der Tiefe des Sees, sollte es Fossilien geben, prähistorisch, wie es hieß, ein Alter, das nur mit großer Anstrengung vorstellbar war.

Wenn es gelang, hatte man den Eindruck, sie weiß vom Grund her leuchten zu sehen.

Wenn es gelang, sich überhaupt etwas vorzustellen.

Es lag alles an mir.

Wenn es gelingen sollte, mir vorzustellen, wie der Junge sich verhielte, wie er sich Siri gegenüber verhielte, dann mußte ich erst mal in der Lage sein, mir das Einfachste vorzustellen. Mir vorzustellen, daß weder Erik noch sein Freund die Türen verriegelt hatten an diesem Nachmittag, sondern ich.

Siri kam aus dem Auto nicht heraus, weil ich gefangen war in einer alten Geschichte.

Die nicht mal meine war. Ralf hatte sie mir angehängt. Ralfs Übergriff nachts im Zelt hatte mich um eine Geschichte ergänzt, die schon so oft passiert war, daß sie gar nichts mehr mit mir zu tun haben konnte, *same old, same old*, wie Sabine sagen würde, aber ich hatte sie fraglos akzeptiert.

Ich hatte mich den Ängsten, der Verstörung, der Verunsicherung blind ergeben, und ich hatte das ganze Verhaltensschema dieses Übergriffs auch noch auf Siri und den Nachmittag im Jaguar übertragen und damit alles festgelegt, *ich* hatte die beiden Alten zu Gewalttätern *gemacht*. Ich war eingestaubt. Unbeweglich wie ein Löffel, der im Zucker steckengeblieben war.

Siri hatte an der entscheidenden Stelle aufgehört. Natürlich konnte sie nicht ahnen, wie ich reagieren würde. Oder sie hatte es geahnt, und das war das Resultat, daß wir jetzt hier standen, und der Junge kurz davor war, ihr ein Geständnis zu machen.

Er hielt ein Mädchen im ärmellosen Kleid unter Sternen, die langsam in Richtung Morgen zogen.

Ich mußte an meine Brüder denken und wie sie in fünfzehn, zwanzig Jahren sein würden, nachdem sie mit ihren eigenen Geschichten durch waren, die so viele ihnen schon vorgelebt hatten und die sie lebten, weil es so am einfachsten war. Ich sah sie in diesem Auto am Nachmittag, nachdem sie Affären gehabt und Frauen probiert hatten, vielleicht ein paar Männer, nachdem sie, wie man so sagt, *wirklich* geliebt hatten und verheiratet gewesen waren, ich sah sie mit Kindern und Hund, ein Junge spielt unterm Weihnachtsbaum Klavier, ein Mädchen gewinnt mit der Schulmannschaft ein Handballspiel, und ich sah sie, nachdem sie müde geworden waren. Man verlor die Geduld, wenn man begriff, daß das als eigen empfundene Leben nur die gleiche alte Geschichte war, die Vorhänge zugezogen, die Muster bekannt.

Ich sah sie, nachdem sie sich vorsichtig und sanft von diesem Leben gelöst, sich verabschiedet hatten, *take care und bye-bye*, wie Sabine sagen würde, nicht brutal, nicht auf eine gemeine Art, vielleicht warteten sie, bis ihre Kinder groß waren und ihre Frauen heimlich wieder damit begannen, sich selbst zu entdecken, ich sah, wie meine Brüder schließlich dort ankamen, wo jetzt die beiden Schweden waren: älter geworden. An einem Sommertag. In einem Jaguar.

Auf einem staubigen Feld. Am Stadtrand. Im Nichts.

Ich sah sie dort, wo der Himmel so ausgreifend war, daß sie eintauchen konnten darin. Ich hörte sie über Straßenschilder klagen, auf denen immer nur *Ausfahrt* stand.

Ich wußte jetzt, daß diese Schilder sie eigentlich gerettet hatten. Jede *Ausfahrt* versprach eine Lücke, ein Schlupfloch, einen Fehler im Straßensystem. Und ich wußte, daß sie, um nicht rückfällig zu werden, um nicht schlicht aus Gewohnheit wieder umzukehren, aus ihrer Rettung ein Geheimnis machen mußten. Sie gaben vor, verrückt zu sein. Zwei greise Idioten.

»Ich bin dafür, daß wir in dein Haus fahren«, sagte ich zu Siri, hinter uns lief die Party der Rockerin. »Jetzt.«

Heimlich entriegelt Pfefferkorn die Tür. Sie bekommt es nicht mit, sie geht erst mal davon aus, daß sich die Dinge nicht ändern, so lange man nicht selbst etwas tut.

»Finden wir uns im Dunkeln zurecht?« fragte sie.

»Warst du es nicht, die gesagt hat, das Dunkel wäre die beste Jahreszeit?«

Sie lächelte. Ich wußte, daß sie lächelte, obwohl es schon wenige Meter von der beleuchteten Baracke entfernt stockdunkel war, ich tappte vor ihr her zum See, die

Augen weit aufgerissen, als könnte man, wenn man dem Weißen mehr Fläche gibt, tatsächlich besser sehen.

Der Junge war meine *Ausfahrt*. Mein Fehler im System.

Bei den Straßenlaternen begann sie zu rennen. Sie rannte mit ausgebreiteten Armen, und der Junge hetzte hinter ihr her, mit einer Hand hielt er die rutschende Hose fest, er rannte durchs Dunkel, die Schotterstraße bergauf, und wenn es hell gewesen wäre, hätte man ihn mit wehendem Hemd rennen sehen. Er hatte Angst zu stolpern und hob die Füße übertrieben hoch.

Als er nach ihr griff, wich sie mit einer Rechtsdrehung aus. Von hinten sprang sie ihn an, hielt sich an seinen Schultern fest, und er war froh, diese Schultern zu haben. Sie trugen ihr Gewicht. Sie legte ihm die Arme um den Hals und ließ sich schleppen. Seine Hose rutschte da, wo ihre Schenkel ihn umschlossen hielten.

Er lachte, und sie faßte ihm ins Haar und verwüstete es, und er hätte sie so geschleppt bis zum See, bis zu ihrem Haus oder weiter zum Nordpol, zum Nordpolarstern, für diesen einen Griff ins Haar.

Dann kam Sabine.

Sie lief in unsere Richtung. Sie schien eine Slalomstrekke zu bewältigen. Ich löste den Griff, und Siri rutschte an mir hinunter ins Gras.

»Hey«, rief Sabine. »Euch kenn ich doch.« Sie streckte ihren Zeigefinger aus und lief am Zeigefinger entlang auf uns zu. Grillen waren zu hören. Hochgetunte Pfeilspitzen in der Nacht.

»Also tanzen kann ich da nicht. So was von stickig, *Jesus*!«

»Gibt doch schon überall Rauchverbot.«

»Das ist ja das, was mich am meisten stört! Ich muß jedesmal raus, um mir eine zu drehen, und drin stinkt es trotzdem.« Sie rollte Tabak auf. »Und wie die da alle mitmachen, das ist ekelhaft. Kein Funken Anarchie mehr in dieser Hochkultur.«

»Absterbender Imperialismus«, sagte ich mechanisch, Siri war im Gras sitzen geblieben und sah zu uns hoch. »Die letzte Form des Kapitalismus.«

»Und da siehst du einen Zusammenhang zum Rauchverbot?«

»Bald werden sie feststellen, daß auch das, was sie ausatmen, hochgiftig ist und sich das Atmen verbieten.«

»Weil sie nicht gelernt haben, unabhängig von ihren Körpern zu sein.«

»Was?«

»Sie haben nicht gelernt zu abstrahieren. *Out of body experience*, nie gehört?« Sabine war betrunken, aber sie sprach besser englisch als sonst.

»Aber du hast es gelernt«, sagte ich.

»Bis zu einem gewissen Grad.« Sie atmete aus. »Ja.«

»Und? Ist dadurch jetzt irgend etwas besser?«

»Ist ja schon mal klasse, wenn's nicht schlimmer wird, wenn du einfach nur mal da drin diese Körpergerüche – *holy humans*, *sheet man*! aber wenn du *einmal* außerhalb bist, außerhalb von der gemeinen Biologie, du kannst dir gar nicht vorstellen, das ist großartig! Ich meine, das war doch der entscheidende Traum von neunzehnhundertzwanzig. Körperlose Wesen. Asexualität. Da staunste jetzt, was? Das verrat ich sonst keinem. Das verrat ich heute ausnahmsweise nur dir. Die Männer endlich mal mit 'ner wirklich klaren Vision, weil sie nicht mehr das Jucken in den Eiern definiert. Plus der ausgelagerte Unterleib. Die Babys wachsen in Flaschen. Wir sind frei von Krankheit und Tod. Das ist nach diesen ganzen hilflosen Erste-Weltkriegs-Krüppeln doch *total* angesagt gewesen. Oder später Vietnam. Aber worauf läuft das am Ende bloß raus? Auf Maschinenmenschen! *Face-liftings*. Cyborgs. Aber Kinder, das sieht man doch, daß das nicht erotisch ist, das ist ja noch nicht mal *juicy*. Sie hätten sich da einfach mehr an die indianischen Weisheiten halten sollen!«

Ich wollte mich um den Jungen kümmern, aber Sabine dachte nicht daran aufzuhören.

»Da wüßten sie zum Beispiel, daß man Seelen vorübergehend in ausgehöhlten Knochen überwintern lassen kann, für bessere Zeiten, verstehst du, wenn sie halb totgeschuftet sind. Die Knochen dann gut verstopfen, weil so 'ne Seele ja sonst verlorengeht, logisch. Und ich meine, das ist jetzt nicht schwierig zu verstehen. Daß so 'ne Seele auch mal vorübergehend pausieren muß, weil sie das gar nicht schafft, weil sie sonst zugrunde geht an diesen *mega*aufgepeppten Fleischbergen!« sagte sie. »Aber die kriegen gar nicht mit, daß da was verkümmert. Statt dessen doktorn sie an ihren Körpern rum. Dabei müßten die sich nur mal was *vorstellen*. Die ist nämlich durchlässig, so 'ne Seele, da kann von außen noch was ran, ich nenne das *Transparenz*! Und so ein Körper wird von dort aus überhaupt erst *benutzbar*, da wird's erst mal interessant, der ist nämlich 'n Gebrauchsinstrument, aber das Gebrauchen, das kriegt man nur über die Seele hin, und das kapieren die nicht. Das ist Magie! – Und was macht ihr beiden jetzt?«

»Wir warten auf Transparenz«, sagte ich. Siri war auf-

gestanden und hatte sich eine meiner Jackentaschen gesucht, in die sie ihre Hand graben konnte. Sie sah Sabine
fasziniert an.

»Schon *chill out* bei euch, ha?« Sabine pulte Tabak von
den Lippen. »Sag mal, und findest du auch, daß Schmoll
ein cooler Name ist?«

»Wie kommst du jetzt darauf?«

»Also findest du nicht?«

»Der große Schmoll«, sagte ich.

»Klar. Aber etwas ist da dran, verstehst du. Etwas ist
dran.«

Ich hatte keine passende Antwort.

»Klar, daß das nicht so dein Ding ist. *Witchcraft* und
die ganze Heilerei. Aber ich brauche ja trotzdem einen
Namen dafür. Er muß mir *begegnen*. Aber wie soll ich
hier eine Begegnung haben, alle sind so absolut *over the
top*, daß man einfach nichts *sehen* kann.«

Svenja kam aus dem Saal, sie stand kurz im Licht, das
beleuchtete Viereck der Tür legte sich in die Nacht.

»Um wen geht es?«

Sabine zuckte die Schultern. »Zigarette?«

»Nee, laß mal«, sagte Svenja, »ich hau ab. Und denkt
dran, keine Glimmstengel im Rasen.«

»Die denken wirklich, den gibt's«, sagte Sabine und
sah zu, wie Svenja in Richtung Straße verschwand. »Ich
meine – Schmoll! *You got to be kidding me!*«

Siri drückte sich an meinen Arm.

»Bis auf Svenja«, sagte Sabine. »Die glaubt das nicht.
Die ist einfach resistent, was Glauben angeht. Und die
anderen? Die haben in Schmoll ihren Kriminellen gefunden.«

»Was soll er denn getan haben?« sagte Siri leise.

»Immobilien, wenn man Wilfried glauben will. Die Schweden sind Nomaden, die ziehen alle paar Jahre um, da gibt es einen Markt. Und er hat irgendwie schief spekuliert. Jetzt lebt er als Einsiedler im Wald.«

Ich sah Sabine an.

»Manche Dinge weiß ich eben. Okay?«

»Das stimmt nicht«, sagte Siri so leise wie zuvor. »Das würde er nie machen.«

»Sag nicht, du kennst den.«

»Juristisch gesehen wäre das dann zumindest eine Person«, sagte ich schnell. »Wenn man sich auf einen wie Wilfried verlassen will.«

»Der hat schon seine lichten Momente. Aber sag mal, was hört man denn von dir? Svenja hat gesagt, du hättest sie neulich«, Sabine sah Siri an, in der Ferne leuchteten Scheinwerfer auf. »Du hättest sie angemacht.«

»Das glaubst du.«

»Na entschuldige mal, ist ja nun kein Verbrechen, oder? Ich stell mir das sowieso ziemlich schwierig vor. Ich meine, bei den Schwulen, klar, die *erkennen* sich. Aber so? Also ich würde ja da in die Knie gehen; ständig dieses Risiko –«

Die Scheinwerfer verloschen.

»Auf die Knie geh ich manchmal auch«, sagte ich zu Sabine.

Sie trat die Kippe aus, sie sah mich an. »Hast du Angst?«

»Vor Schmoll?«

»Vor dem, was die anderen sagen«, sagte Sabine. »Du mußt da echt aufpassen. Daß du das nicht zu deinem Mantra machst.«

Als Sabine gegangen war, hob der Junge den Kopf. Er

hatte seine Schuhe betrachtet, er war nicht deutlich gewesen, jetzt grinste er. Er grinste nicht wegen Sabine. Er grinste schief und aus Verlegenheit und weil Siri ihn mit erschreckten Augen ansah. Dann versuchte sie, ihm etwas in die Hosentasche zu stecken. Er fing ihre Hände ab.

Er fing ihre Hände dicht vor seinem Körper ab, und der Schwung irritierte ihn, es war, als käme er nicht schnell genug hinterher, und er mußte einen Moment warten, bis er innerlich zum Stillstand kam.

Aber da hatte sie sich schon losgemacht. Sie rieb ihre Wange an seiner Schulter, ein leichtes Antippen der Haut, und bevor sie ganz in der Dunkelheit verschwand, winkte sie noch mal, ohne sich umzudrehen, als gelte ihr Winken nicht ihm, sondern allem, was vor ihr lag. Dem Schotterweg. Dem Ufer. Den Booten im See.

»Na dann«, rief ich hinter ihr her und wäre ihr beinahe nachgegangen, und der Junge sagte, *gute Nacht und schlaf schön, gute Nacht.*

Eine der Gruppen kehrte am nächsten Vormittag zu früh von ihrer Tour zurück. Sie wollten ein Kentertraining mit einem der Lager-Scouts zusätzlich buchen, *was seid ihr denn für Sportskanonen*, rief Svenja über den Platz, aber sie pochten auf ihre Absprachen mit dem Büro in Berlin, und man konnte nichts machen.

Sie standen in Schwimmwesten vor dem Küchenzelt, sie lieferten die übriggebliebenen Kohlhälften und Brotreste bei Wilfried an der Essensrückgabe ab, wegen seiner verbundenen Hand ging es nur sehr langsam voran.

Der Gruppenleiter, ein rastagezopfter Halbnigerianer, der den Sommer über pausenlos draußen war, stand daneben und drehte sich abwesend eine Zigarette.

Ich wußte, daß er Uwe schon vor Wochen um eine Pause gebeten hatte, die ihm verweigert worden war.

Er rauchte.

Wilfried wies ein paar Jungen aus der Gruppe an, mit Sand und einem drahtigen Schwamm unten am Strand den Ruß von den Töpfen zu kratzen, beim Kochen über offenem Feuer hatten die Flammen das Aluminium geschwärzt. *Und zieht eure Schwimmwesten aus, oder habt ihr Schiß, daß sie euch was abguckt?* Er meinte mich. Er wollte, daß ich mit ihnen zum Töpfeschrubben ging, eine Arbeit, die jeder haßte.

An diesem Tag war es eine Erleichterung. Sie hatten die Aufgaben letzte Nacht in der Disco verteilt. Jeder hatte seinen Platz, mich hatten sie ausgelassen. Ich sollte verfügbar sein. Ich sollte jedem zur Hand gehen, und während die anderen leicht feststellen konnten, wie weit sie vorangekommen waren, gelang mir nicht einmal mehr die Einteilung meiner Zeit.

Zuerst hatte ich Zelte zusammenlegen sollen. Am Waldrand saßen Jugendliche auf gepackten Taschen. Svenja hatte diesmal angeordnet, die Jugendlichen am Abreisetag in Ruhe zu lassen. Das hätte einen guten Effekt, sie füllten die Evaluationsbögen danach ganz anders aus. Also mußte ich ihre Arbeit machen.

Als ich fertig war, kam Sabine vorbei und fand, daß die Zeltsäcke gequetscht aussahen und man sie so nicht abgeben könne, und ich packte jedes Zelt wieder aus.

Zwischendurch dachte ich an die letzte Nacht und wünschte mir, der Junge wäre da. Ich stellte mich in einer seiner typischen Haltungen hin, Kopf im Nakken, halboffener Mund und die Fäuste in den Hosentaschen.

Ralf rief nach mir.

Er stand vor dem Duschhaus, er trug eine Jeansweste, es war nicht sehr warm. Über dem Fellbesatz am Kragen sein stahlbrauner Kopf.

»Laß das! Du wirst gebraucht.«

Ich kickte den Fußball, der in der Nähe lag, zu ihm rüber.

»Sag mal, bist du taub?«

Er schob mich am Ellbogen vor sich her. Der Boden im Duschhaus war glitschig und stank. Ein paar Jugendliche hatten sich unerlaubt hineingeschlichen, Ralf warf sie raus. Ihre Handtücher drohten ihnen von den Hüften zu rutschen.

»So«, sagte er. »Und jetzt wollen wir mal sehen, ob der Laden hier nicht auch picobello aussehen kann.«

In der Duschwanne stand knöchelhoch die Lauge, Haare und Aluschnipsel schwammen darin, das Wasser floß nicht ab. Wände, Spiegel und Duschkabine waren beschlagen vom Dunst.

»Da muß sich jemand den Abfluß ansehen, ich komm nicht ran.«

Ralf lehnte sich mit der Schulter an die Duschhauswand. Er verschränkte die Arme.

»Na los. Ist dein Tag heute. Du stehst unter Beobachtung, falls du das noch nicht mitgekriegt hast.«

»Im Schuppen. Da müssen doch irgendwo Handschuhe sein.«

»Wie. Draußen baust du Klolöcher und schaufelst sie zu nach dem Scheißen und machst jetzt so 'n Theater?«

Er sah mich an mit diesem erschlafften Blick, den er hatte, wenn sein Körper in größter Anspannung war.

Ich kniete mich neben die Duschwanne und tastete

mit den Händen unter Wasser nach dem Abfluß. Ich nahm das Gitter heraus.

Er stand hinter mir. Ich wußte, er sah mich an. Mein T-Shirt wurde naß vom Wasser, das mir über die Arme klatschte, ich versuchte, den Dreck mit den Händen aus dem Abfluß zu klauben, zwischen Kalk und Seifenresten hatte sich ein klebriger Modder festgesetzt. Ich rutschte ab. Meine Brüste wurden an den Wannenrand gequetscht, ich wußte, dort sah Ralf hin. Vor der offenen Tür liefen Gruppen von Jugendlichen vorbei, in kurzen Abständen verdeckten ihre Körper die Sonne und gaben sie wieder frei, ein Flackern.

Die Busse waren gekommen.

Und für einen Moment hatte ich nicht aufgepaßt. Ich verlor die Kontrolle, die Lauge spülte in mein Gesicht. Ich versuchte, nicht zu würgen. Aber dann kam es hoch, und das Wasser nahm eine gelblich graue Färbung an. Ich sah, daß Ralf nickte.

Er nickte und wischte sich über den Hinterkopf.

Dann ging er hinaus.

Aber bevor ich aufstehen konnte, kam er noch einmal zurück. Er lehnte sich an den Türrahmen.

»Wir sind vielleicht zwei Außenseiter, was?« Er schien darauf zu warten, daß ich antwortete.

»Da stehen wir also beide da«, sagte er dann. »Am Rand. Ich bin ja hier nicht der einzige, der die Sache beobachtet. Hab das schon kapiert. Wir sind Partner, wir zwei. Was das angeht. Alle stecken wir drin, aber wir beide, du und ich, wir würden es gern anders haben, also machen wir die Kompromisse. Sieh mich an!« Ich zwang mich, ihm in die Augen zu sehen. »Respekt! Du kannst einiges verkraften. Ein Kämpfertyp. Klar, daß das nicht immer lustig ist. Aber da jetzt zu sagen, danke, ich habe genug gesehen, ich kann mir ein Urteil erlauben, ich mach hier nicht mehr mit, das würde ja heißen, gut, dann können wir hier nicht mehr arbeiten. Dann müssen wir beide diesen Job sein lassen. Diesen. Und jeden anderen. Denn laß dir eins gesagt sein. Das ist nicht das erste Mal. Und es wird nicht das letzte Mal sein.«

Groß stand er in der Eingangstür. Er sprach in demselben schläfrig konzentrierten Ton, den er morgens vor den Zelten gehabt hatte.

»Ist 'n Erfahrungswert. Ich habe mir das schon mal sagen müssen. Ich habe mich das schon mal ehrlich gefragt. Aber dann stand ich wieder da, jede Nacht. Das war mein Auftrag, da zu stehen. Und du stehst ja im Schatten. Du bist ja hinter den Scheinwerfern. Und daß man mit so 'nem rein technischen, motorischen Vorgehen in einen politischen Zusammenhang geraten kann – Ich weiß nicht, wie man sich dem hätte entziehen sollen. Außer eben, daß man versucht, so vorsichtig wie möglich zu sein. Warnschüsse. Daneben halten. So unauffällig, wie's geht. Um denen keine ideologische Munition zu liefern.

Ansonsten hätte ich aufhören müssen, Grenzer sein zu wollen in der DDR. Dann muß ich eben aufhören, diesen Staat schützen zu wollen, habe ich mir gesagt. Das haben auch welche gemacht. Versteh ich. Versteh ich gut. Klar hat man keinen Bock, dauernd Kompromisse zu machen. Weißt du, was ich meine? Hat ja auch immer weniger Spaß gemacht. Aber so ist das. Immer. Je weiter es voranschreitet, desto unlustiger wird es. Und desto höher sind die Kosten. Regel Nummer eins. Aber es gibt gute und schlechte Phasen, das wechselt sich ab.«
Er legte mir die Hand auf die Schulter, ich kniete noch

immer am Wannenrand. »Verstehst du? Würd mir wünschen, daß du das verstehst.«

Ich sagte nichts. Mir war kalt. Ich mußte mich anstrengen, damit meine Zähne nicht aufeinanderschlugen. Er nickte und ging.

Und später, lange nachdem er gegangen war und ich mir Hände und Gesicht mit heißem Wasser wusch, dachte ich: Vielleicht hatte er mir morgens am Zelt etwas sagen wollen, und jeden Morgen hatte er es nicht geschafft. Und jetzt hatte er es endlich gesagt, und ich hatte den Eindruck, daß auch das nur eine Ausflucht war.

Der Gruppenleiter hatte sich drei der schmächtigeren Jungen ausgesucht und ein Mädchen. Sie umschwärmten ihn auf dem Weg zum Strand. Im Licht unter den Bäumen flirrte die Luft.

Das Mädchen hatte den Ball im Gebüsch entdeckt und dribbelte ihn zurück auf den Weg. Alle wollten ihn haben, diesen Ball, sie jagten ihm hinterher zum Ufer. Aber das Mädchen war geschickt, sie ließ die Jungen bis auf wenige Schritte herankommen und gab den Ball dann blitzschnell an ihren Gruppenleiter ab.

Sofort postierten sich die Jungen an der Straße. Sie boten ihre nackten Waden dar, sie legten die Köpfe zur Seite und entblößten den Hals, einer streckte provokant seinen Hintern raus, in den Augen war Trotz, Unterwerfung, Dankbarkeit, oder ich bildete mir das ein. Sie fanden ihn großartig, ihren Gruppenleiter. Sie liebten ihn, *cool guy*, wie Sabine sagen würde, zwei Wochen waren sie mit ihm draußen gewesen, hatten auf sein Kommando Zelte aufgebaut, um die Wette geangelt und gemeinsam Holz gehackt, sie hatten seinen Schweiß gerochen und den stumpfen Dunst aus den Rastazöpfen, sie hatten sich über das gleiche Kloloch gehockt, eine mit dem Feldspaten ausgehobene Vertiefung im Moos, sie hatten sich am Lagerfeuer Sexgeschichten erzählt, wenn die Mädchen schlafen gegangen waren, manchmal machten ein, zwei Mädchen auch mit, sie hatten sich nackt neben ihm gesonnt und von Felsen, die er für sie gefunden hatte, Kopfsprünge gemacht.

Jeder wollte den Ball.

Aber Falko ließ ihn unbeteiligt gegen die Wade prallen. Er hatte nicht aufgehört zu gehen, er rauchte, er schnippte die Asche weg.

Gedankenlos lief er an ihnen vorbei. Er warf die Putzmittel in den Sand und sich daneben.

Sie waren enttäuscht.

Ihre Körper wurden lasch, als hätte man aus Schwimmwesten die Luft herausgelassen, einer trat gegen einen Busch, weil er die Anspannung nicht gleich los wurde. Draußen hatten sie ihn anders kennengelernt, und jetzt begriffen sie die Veränderung nicht, sie begriffen nicht, daß sie nur Teil eines Jobs gewesen waren, der mit Betreten des Camps beendet war. Der Ball blieb liegen, wo er hingefallen war.

Über dem Ufer stand grell die Sonne. Nur unter den Kiefern, dort, wo Siri zum ersten Mal aufgetaucht war, hielt sich noch Schatten. Ich nahm einen der kleineren Töpfe, ich zeigte ihnen, wie man mit dem Drahtschwamm und mit Outdoor-Seife vermischtem Sand den Ruß vom Aluminium rieb. Als ich fertig war, setzte ich mich unter die Kiefern.

In ein paar Stunden wollte Siri an der Bootsanlegestelle sein.

In ein paar Stunden kam der Verpflegungsnachschub im Camp an. Uwe hatte angerufen, als der Kleinbus von der Fähre heruntergefahren war.

In ein paar Stunden.

Ein halber Vormittag.

Ich nutzte das Kentertraining, um zu verschwinden. Ich wartete, bis Ralf mit der Gruppe auf dem Wasser war, und trieb mein Kanu in die entgegengesetzte Richtung.

Ich ging gegen das Wasser an, als stellte es sich mir in den Weg.

Weiter draußen zog ein Motorboot vorbei, Bugwellen klatschten gegen das Kanu, sollten sie doch, sollten sie kommen, es konnten gar nicht genug Bugwellen sein, meterhoch und gewaltig, sollten sie über mich hinwegschwappen, mich unterspülen, sollten sie mich erfassen und hochschleudern und abstürzen lassen, sollten sie, mein Gesicht wurde naß. Ich spannte die Arme und zog durch. An der Landspitze wurde ich ruhiger. Ich fing an, gleichmäßig zu paddeln. Am Ufer tauchten rote Wochenendhäuser auf und verschwanden.

Zwischendurch stellte ich mir vor, wie Ralf unterging. Ich sah sein Gesicht in den Wellen versinken, ich sah, wie er demütig die Augen schloß, als das Wassser höher stieg, Hals und Kinn überschwemmte, als es ihm in Nase und Augen drang und er langsam, aber unaufhaltsam nach unten gezogen wurde, ich wünschte ihm das nicht. Zumindest hatte ich ihm das nicht gewünscht, dachte ich, und dann mußte ich an seine Tochter denken.

Ich wünschte ihm das nicht, und sobald ich ihn untergehen sah, war es, als würde er mich mit sich ziehen.

Ich wußte, das war unlogisch. Das war irrational.

Als ich die Landspitze erreichte, schoben die anderen in der Ferne ein Boot über den Strand.

Der Bug zeigte in meine Richtung. Zwischen ihnen sah ich Uwe, er war zurückgekommen, er stand breitbeinig am Strand. Er legte eine Hand über die Augen, er suchte den See ab.

Das Boot nahm jetzt Kurs auf die Landspitze. Sie folgten mir.

Ich hielt mich zwischen den Inseln am Ufer, ich machte ein paar Manöver, bevor ich zur Umtragestelle kam. Aber ich legte nicht an. Ich nahm den schmalen Durchfluß ein paar Meter rechts. Er war flach. Aber ich war allein im Boot, ich berührte nicht mal Grund. Meine Stirn war fiebrig.

Als ich unterhalb des Hauses anlegte, waren die anderen außer Sicht, ich hoffte, ich hatte sie abgehängt.

Siri stand auf Zehenspitzen vor der Tür. Sie winkte. Sie rief, auf dem Sandplatz waren Fußspuren. Undeutlich, verweht. Die Klappe des Buick ragte vor den Johannisbeerbüschen auf. Buick oder Jaguar.

»Schmoll«, rief sie, »gut, daß Sie gekommen sind, aber werden Sie jetzt bloß nicht wieder langweilig!« Sie rannte zur Schaukel hinüber, sie knickte die Brennesseln weg und setzte sich auf den Metallsitz. Sie lächelte mich offen an. Es war ein argloser Blick, und mir wurde bewußt, daß ich seit einiger Zeit in jedem Lächeln einen Hinterhalt gesehen hatte.

Sie stieß sich ab und schwang hoch, es quietschte fürchterlich. Das ganze Schaukelgerüst vollzog jeden Schwung mit, es ruckte vor und zurück, aber es hielt. Sie schwang höher, ihr Kleid flog, sie rief irgend etwas, und im Nachmittagslicht, das über die Felder kam, sah sie sehr schön und sehr entrückt aus.

Der Junge griff hinein in den Schwung.

Er stellte sich hinter sie auf die Schaukel, die Füße rechts und links von ihr auf dem Sitz, so daß sie halb auf seinen Tennisschuhen saß. Er hatte das blaugestreifte Hemd übergezogen, in der Eile hatte er sich verknöpft, und jetzt sprangen ein paar der Knöpfe wieder auf, und das Hemd flatterte, als er nach einem Rückwärtsschwung in die Knie ging und sie beide nach vorne trieb. Es war schwierig, tief genug in die Knie zu gehen, sie drückte sich heftig an seine Schienbeine.

Er liebte den Wind.

Er liebte es, sie und sich in eine gemeinsame Bewegung zu bringen, das Blitzen der Blätter im Licht, ihren glatten herrlichen Körper, das Atmen mit ihr; ein, wenn sie nach vorn, und aus, wenn sie zurückflogen. Er schrie, und sein Kopf stieß am Himmel an.

Mitten im Schrei merkte er, daß sie sich verkrampft an den Ketten der Schaukel festhielt.

»Ist dir schlecht?«

Ich brachte die Schaukel durch einen Griff an der Eisenstange zum Stehen.

»Wissen Sie, woran ich denken mußte, als Sie gekommen sind?« sagte sie, als die Schaukel ganz ausgetrudelt war. »Jeder Mensch hat eine große Angst. Worin besteht eigentlich Ihre?«

Ich stieg ab. Ich dachte an Uwe und das Verfolgerboot, *dreitausend Euro sind kein Witz.*

»Bürgersteige«, sagte der Junge. »Graue, asphaltierte Bürgersteige mit dem verwehten Abfall vom Vortag.«

Sie lächelte irgendwohin.

»Sehen Sie«, sagte sie. »Meine größte Angst sind nämlich Sie.« Dann sprang sie ab und rannte zum Haus. Sie rannte, als würde sie verfolgt, dabei war ich es doch, der man gefolgt war, und für einen Moment dachte ich, sie imitierte mich.

Das Autowrack ragte auf aus dem Sand. Am Waldrand und auf der Wiese war niemand zu sehen. Es war still. Der Mohn zog rote Adern durchs Feld. Es ging kein Wind.

Ich lief ihr nach. Ich kontrollierte, ob die Haustür ins Schloß gefallen war, bevor ich hinüber in eines der Zimmer ging, meine Hände zitterten.

»Warum sollte ich dir angst machen?« rief ich.

»Sie machen mir aber angst«, rief sie zurück. »Manchmal. Das ist gut. Wenn man Angst hat, wird man aufmerksam.«

Der Junge nickte. Er kniff die Augen zusammen und starrte zum Fenster, als müßte dieses Haus gegen Eindringlinge verteidigt werden, er reckte den Kopf, aber da war nichts. Nur die grünen Schattenrisse der Bäume vor dem Fenster. Die Bewegung, die er gesehen hatte, war sie, die sich aus dem Schatten löste und näher kam und ihn überraschend auf den Mundwinkel küßte, auf den Mund, die Lippen. Ihre Lippen waren spröde, fast rauh, aber doch weich genug, ihn die Augen schließen zu lassen, als kurz und wie aus Versehen ihr Unterleib gegen seinen stieß.

»Kommen Sie! Ich muß Ihnen etwas zeigen.«

Siri lief zum Ende des Zimmers, wo es eine Treppe gab. Das Haus wirkte jetzt weniger chaotisch. Sie hatte aufgeräumt. Die Vasen mit den vertrockneten Pflanzen waren verschwunden, die Porzellantänzerin stand auf der Anrichte und streckte ihren Armstumpf in Richtung Zimmerdecke. Nur die Kekse, der Zucker, das Teeservice standen immer noch da. Aber sie hatte den Tisch abgewischt und die Strickjacke zusammengelegt, und so wirkte das Service arrangiert, wie ein Ausstellungsstück.

»Ich bin abgehauen«, sagte ich.

»Ach ja?«

»Es wurde höchste Zeit.«

Die Treppe führte auf den Dachboden, Siri lief voran, sie öffnete die Luke. »Was ist denn? Kommen Sie!« Daß ich das Camp verlassen hatte, schien nicht gerade das zu sein, was sie am meisten interessierte.

Der Junge folgte ihr. Er war wie in Trance. Langsam stieg er die Treppe hoch, die schmalen Stufen, auf die nur sein Fußballen paßte. Seine Knie stießen beim Steigen an, und er spürte noch den Druck ihrer Lippen. Er glaubte jetzt einen Ton zu hören, er hörte ihn deutlich, zuerst leise, dann stärker werdend, der Ton war hoch und sirrend, er klang endlos gestreckt, als würde feines Metall gesägt.

»Hier«, sagte sie. Wir waren im ersten Stock, durch die Sparren im Dach fiel ein bläuliches Licht. »Hier muß es gewesen sein.« Sie blieb stehen. »Hier!« flüsterte sie. »Na klar, hören Sie, wie der Boden knarrt? Hier ist es passiert.«

Hinter ihr an der Wand stand ein Kicker, die Spielfiguren hingen kopfunter, die Farbe blätterte von den Füßen. Der Dachboden war nur halb fertiggestellt worden, zwischen frisch eingesetzten Balken klebten Preßspanplatten.

»Wissen Sie nicht, was passiert ist?«

»Ist jemand gestorben?«

Siri sah mich erstaunt an. »Die Mutter von Erik! Aber dann wissen Sie es ja!«

»Na ja«, sagte ich, genauso erstaunt. »Das ist nicht so schwer zu erraten, wenn man sieht, wie dieses Haus eingerichtet ist. Die Mutter ist gestorben, und seither war kein Mensch mehr hier. Deshalb sieht es aus, als wäre sie nur mal im Garten.«

»Sie meinen, nach ihrem Tod war niemand mehr hier?« sagte Siri. »Nicht mal Erik?«

»Nein. Niemand. Nur der Leichenwagen, der sie abgeholt hat. Und das war's. Erik hat sich nicht mehr ins Haus getraut«, sagte ich. »Er hatte sicher Angst, sie würde noch irgendwo herumgeistern. Er war so lange nicht mehr hier, daß er sich unterwegs verfahren hat. Deshalb hast du wahrscheinlich so lange in diesem Auto gesessen. Er hatte sich verfahren. Er hat sich nach all den Jahren nicht mehr hierhergefunden.«

»Aber sie ist doch nicht auf dem Dachboden gestorben, Schmoll, oder? Sie wäre doch viel zu schwach gewesen, um die Treppe hochzukommen. Auf dem Dachboden muß etwas anderes passiert sein.«

»Natürlich ist sie nicht auf dem Dachboden gestorben!« sagte ich großspurig. »Sie saß in ihrem Lieblingssessel. Unten. Da, wo die Strickjacke hing. Da, wo sie immer gesessen hat.«

»Reden Sie weiter.« Siri war plötzlich aufgeregt. Sie starrte mich an.

»Was soll ich denn sagen?«

»Jetzt erzählen Sie schon, Sie wissen es doch!«

Also redete ich. Erst langsam, stockend.

Ich erzählte Siri, wie Eriks Mutter das Haus gehegt hatte, wie sie im Sommer jeden Morgen schon um sieben im Garten gewesen war, um die Pflanzen zu gießen, damit das Wasser rechtzeitig von den Blättern lief und sie in der stechenden Sonne nicht verbrannten.

Dann brach ich ab. Ich wußte nicht, worauf ich hinauswollte.

Aber sie sah mich erwartungsvoll an, sie rief: »Wirklich? Jetzt erzählen Sie doch!«, was mich anstachelte.

»Das ist doch unglaublich!« rief sie. »Oder?« Und ich redete, ohne zu überlegen. Ohne zu wissen, was als nächstes kam. Ich legte mir nichts zurecht, ich hatte keinen Plan und war überrascht, daß das, was ich sagte, doch Sinn ergab.

Ich erzählte Siri, wie sorgsam Eriks Mutter ihre Pflanzen behandelt hatte. Wenn sie umzubrechen drohten, steckte sie Stöcke als Stützen in die Töpfe. Die Nachbarn kamen gern und holten sich Ratschläge, was ungewöhnlich war. In Schweden redeten die Nachbarn gewöhnlich nur miteinander, wenn sich einer von ihnen ausgeschlossen hatte und um die Ersatzschlüssel bitten mußte.

Eriks Mutter war eine Ausnahme. Sie sprach sogar Fremde auf der Straße an, vielleicht nur, weil sie traurig aussahen oder seltsame Hüte trugen oder sich nicht auszukennen schienen. Das hatte sie ihrem Sohn auch beibringen wollen, dann aber nicht genug Zeit dazu gehabt. Sie kannte ihren Sohn nur als kleinen Jungen. Nur bis zu seinem vierten Lebensjahr.

Ich redete. Und während ich redete, versuchte der Junge, sich an Siris Duft zu gewöhnen und an das Gefühl ihres Körpers so nah bei ihm. Es machte ihn schwindlig.

Ich erzählte Siri, wie Erik viele Jahre später draußen am Fenster stand. Wie er seiner Mutter von dort aus zusah. Sie konnte nur noch im Lehnstuhl sitzen und sich nicht mehr allein erheben. Er ging nie zu ihr hinein, er klopfte nicht. Er hatte sie zum letzten Mal gesehen, als er vier war. Jetzt graute ihm vor ihr.

Er wischte mit dem Ärmel ein Loch in den Schmutz der Scheiben und stand im Schatten, um nicht entdeckt zu werden. Sie saß am Ende immer in derselben Haltung da, halb liegend, halb sitzend.

Und später, als sie gestorben war, wurde er dieses Bild nicht mehr los. Wie sie da saß mit diesem zur Seite gelegten Kopf, die Hände bittend ausgestreckt. Er wußte, sie war tot, aber das half ihm nicht. Für ihn saß sie immer noch da, auch Jahre später noch, dabei war er nicht mehr zum Haus gefahren. Sie saß da und streckte die Hände nach ihm aus. Das Haus war mittlerweile verkommen. Er hatte versucht, es zu verkaufen, er hatte alle Makler in der Umgebung aufgesucht, aber sie wollten nur geordnete und aufgeräumte Häuser in ihre Kataloge aufnehmen. Er versuchte, es auf eigene Faust loszuwerden, aber wer kaufte ihm ein solches Haus schon ab, mit dem Lehnstuhl, über dem noch die Strickjacke hing, mit den harten, verstaubten Keksen, dem eingetrockneten Tee, mit dem Geist seiner Mutter.

Mit der Zeit nahm das Haus in seinen Beschreibungen die Form einer Villa, eines Palastes an. Es wurde zum Paradies, und er wurde es trotzdem nicht los. Und so lange er es nicht los wurde, konnte er nicht damit aufhören, seine Mutter im Moment ihres Sterbens vor sich zu sehen, ein Moment, den er, als noch mehr Zeit verging, für ein Abbild ihres ganzen Lebens hielt. Dieser demütig zur Seite gelegte Kopf. Die ausgestreckten Hände.

Ich beschrieb Siri diese Hände. Ich beschrieb ihr, wie die Handflächen von Eriks Mutter aussahen. Die tiefen

Linien an Stellen, wo die Haut beim Arbeiten in der Erde eingerissen war, Wunden, die nicht mehr heilten, die schwarzen Vernarbungen platzten immer wieder auf. Aber man sah den Händen noch an, daß sie einmal schlank und gepflegt gewesen sein mußten. Und wenn sie einen berührten, dann waren diese Hände fest und warm und gaben einem das Gefühl, stabil in der Welt zu sein. Gewollt zu werden.

Siri nickte, ihre Finger flogen über meinen Arm, und mir wurde klar: Ich beschrieb gerade sie. Ich beschrieb die Sehnsucht danach, von ihr berührt zu werden. Ich wußte nicht, ob sie es bemerkt hatte. Ich hörte auf.

»Weiter!« flüsterte sie nach einer Weile. »Nicht anhalten. Machen Sie weiter!«

Ich redete. Ich redete, denn es schien das zu sein, was sie am meisten von mir wollte, worauf sie gewartet hatte seit jenem Morgen am Steg, ich redete, und sie schaute mich an, und der Junge war damit beschäftigt, das Gewicht des einen Beines auf das andere zu verlagern, vorsichtig und so unauffällig wie möglich, damit sie sich nicht aufgefordert fühlte, von ihm wegzugehen, damit sie bei ihm bliebe und er ihr klares Gesicht, die geraden Linien von Wangenknochen und Stirn und ihre Augen in sich aufnehmen konnte, grüne Punkte in einem Meer von Braun.

Ich erzählte ihr, daß der Junge hier geboren worden war.

»Welcher Junge?« flüsterte sie.

»Erik«, sagte ich. »Es ist sein Geburtshaus. Er hat als Kind hier gewohnt.«

»Weiter«, sagte sie. »Schmoll, Sie müssen weitermachen.«

Ich war fiebrig. Ich fühlte meinen Körper heiß und wie unter Wasser.

»Erzählen Sie mir von dem Jungen.«

»Gut«, sagte ich. »Gut. Dann erzähle ich dir jetzt, was der, der Erik heißt, im Auto erzählte. Er erzählte davon, als es dunkel war. Als ihr zu dritt im Auto gesessen habt. Erinnerst du dich?«

»Ich erinnere mich, erzählen Sie.«

»Er wurde hier geboren. Für ihn wurde die Schaukel gebaut. Er liebte es zu schaukeln. Er liebte den Wind. Er liebte es, mit seiner Mutter früh in der ersten Sonne im Garten zu sein.«

Der Junge hatte seine Hosenbeine umgeschlagen, ein Streifen Haut sah heraus. Die Tennisschuhe waren sandig. Er betrachtete seine Schuhe, und dann betrachtete er ihre Sandalen daneben, die ein ganzes Stück kleiner waren. Ihr großer und ihr mittlerer Zeh wurden durch eine Blüte getrennt.

»Ja, Schmoll. Was noch?«

Noch immer hörte der Junge diesen Ton, lauter jetzt. Er zog in die Handflächen, die Unterarme hinauf in die hölzernen Schultern, er wurde verschoben vom Wind, der von oben herunterfiel.

»Er war noch zu klein, um den Spaß zu verstehen, den die Söhne der Nachbarn daran hatten, seiner Mutter in die Blumentöpfe zu pinkeln oder mit Steinschleudern auf einen Elch zu feuern.«

»Vielleicht ist er auch einfach nicht der Typ«, sagte sie.

»Vielleicht.« Der Junge griff nach Siris Hand, hielt sie schmal in seiner, ich deutete mit dem Kopf in Richtung einer Matratze, die auf dem Boden lag. Wir setzten uns, aber mit genügend Abstand voneinander, nur die Hände berührten sich.

»Er ist wahrscheinlich eher der Typ, der sich auch prügeln würde. Wenn es hart auf hart käme, würde er sich prügeln, um den Elch zu retten«, sagte ich, getrieben von einer Gier zu sprechen, von der Gier, ihr alles zu sagen, auch wenn ich gar nicht wußte, was das war, es fühlte sich wie ein Geständnis an, wie die Lust, die Geständnisse hervorriefen, und Siri war ganz ruhig und saß da und hörte zu, und einmal lehnte sie sich für einen kurzen Moment gegen den Jungen. Er legte ihr den Arm um die Schultern. Er schob ihr seine Hand in den Nakken, unters Haar.

Ich erzählte ihr, daß seine Mutter das Haus nie verlassen hatte. Daß sie kein einziges Mal umzog, auch das war ungewöhnlich für eine Schwedin. Sie hatte immer hier gewohnt, bis sie im Geburtshaus ihres Sohnes dann gestorben war.

»Dann sind die Möbel noch von ihr? Die waren mal richtig teuer. War sie reich?«

»Nein«, sagte ich auf gut Glück. »Sie haben ihr die Möbel geschenkt.«

»Wer?«

»Warte«, sagte ich. »Gleich. Ich bin noch nicht soweit. Wahrscheinlich haben sie jeder Frau Möbel geschenkt, die sich mit ihnen eingelassen hat. Möbel und Schmuck.«

Es war still. Wir saßen auf der zerschlissenen Matratze. Die Stille und das Blau der beginnenden Nacht machten unsere Stimmen dumpf und uneindeutig.

»Sie haben seiner Mutter die Möbel als eine Art Schweigegeld geschenkt. Damit sie sich still verhält.«

Der Ton setzte schrill erneut ein.

»Wieso muß sie sich denn still verhalten, Schmoll?«

»Ich weiß nicht. Warte. Es ist hier auf dem Dachboden passiert. Sie sind auf den Dachboden gekommen. Schwere Stiefel, man hört sie auf der Treppe. Sie hat sich ganz nach hinten zurückgezogen, in die äußerste Ecke, dahin, wo es am dunkelsten ist«, sagte ich. »Sie versucht, den Jungen in ihrem Schoß zu verbergen. Aber wie sollte sie nicht entdeckt werden, sie ist ja aus Fleisch und Blut. Sie entdecken sie. Sie entwinden ihr den Sohn. Sie biegen ihr die Arme auf, mit denen sie ihn umklammert, und drehen ihr die Arme auf den Rücken. Es dauert nicht länger als drei, vier Minuten. Dann sind sie wieder weg.«

»Wer denn, Schmoll, sagen Sie schon!«

»Freunde von Eriks Vater«, sagte ich. »Gute Freunde.«

Der Junge rührte sich nicht. Er sah in die Höhe aus Preßspanplatten, die sich immer weiter weg zu bewegen schienen, der Ton wurde unerträglich. Der Junge versuchte, die Preßspanplatten zu durchdringen, um nur noch den Wald, die Gerste, den See zu hören, schließlich preßte er die freie Hand auf sein Ohr. Aber der Ton saß tiefer. Es war, als würde ein Draht über eine scharfe Klinge in seinem Gehörgang gezogen.

»Wer sind diese Freunde?«

»Warte«, sagte ich. »Sie haben den Jungen auf ein Schiff gebracht. Es war ein großes Schiff. Man hat ihn seiner Mutter weggenommen und in eine Koje auf diesem Schiff gesteckt und noch ein paar andere Kinder hinterher«, sagte ich. »Er war ein richtiger Schiffsjunge, hat man ihm später erzählt, für eine Nacht. Und es schien, als erinnere er sich. Sie haben ihn in einem großen Schiff über die Ostsee gefahren«, sagte ich, »seine Mutter durfte nicht mit, er erinnerte sich, daß man sie von ihm weggerissen hatte, sein Stofftiger war heruntergefallen, und er hat geweint, weil ihn niemand aufhob«, sagte ich. »Auf der Ostsee war Sturm, die Glühbirne schwankte, er lag in einer Koje unter Deck. Es war eng und stickig, und das Licht blieb die ganze Nacht an. Er war blond. Sie sagten, blonde Kinder gehörten heim. Heim war dort, wo andere blonde Kinder waren.«

Ich schwitzte. Und auch als ich nicht mehr redete, als ich endlich eine Pause machen konnte, wartete ich doch nur auf das, was als nächstes käme, was von irgendwo hervorbräche, ohne daß ich einen Einfluß darauf zu haben schien.

Siri sah mich an. Mißtrauisch. Von der Seite.

»Sagen Sie mal, Schmoll, das ist ja ein totaler Quatsch.«

»Nein«, sagte ich, »das hat er erzählt.«

»Sie Idiot! Und ich bin die ganze Zeit auf Sie hereingefallen.«

Sie sah mich an, als hätte ich den Verstand verloren.

»Was Besseres können Sie nicht? Als Lebensbornkinder? Deutsche Soldaten? Das ist ja grauenhaft. Sie machen sich lächerlich.«

»Eriks Mutter war von einem von ihnen schwanger«, sagte ich, »nicht freiwillig, warum sollte sie das freiwillig tun, eines Nachts ist er über sie hergefallen, nur, weil sie gezögert hat, weil sie vielleicht auf der Straße für einen Moment zögerte –«

»Jetzt hören Sie aber auf, verdammt noch mal!«

Siri schüttelte mich ab, der Junge hatte sie gehalten

oder sich an ihr gehalten, sie schüttelte ihn ab und sprang auf.

»Wissen Sie, was Sie da in den Reiseführern gelesen haben, interessiert mich nicht.«

»Er ist ein Kind, das nur fürs System angeschafft worden ist«, sagte ich wie im Traum. »Ein blondes Produkt, geschaffen für die gleichgeschaltete Mehrheit.«

»So«, sagte Siri kalt. »Und ich hatte mir schon Hoffnungen gemacht mit Ihnen, Schmoll.«

Sie lief zum Dachfenster. Sie stützte sich auf den Sims und sah nach oben, nach draußen. Dann drehte sie sich um. »Mal angenommen, er hätte Ihnen das wirklich so erzählt. Dann wird er wahrscheinlich gedacht haben, daß so etwas gefällt. So ein Kriegshintergrund. Etwas Authentisches. Er muß angenommen haben, ohne Nazis würde man als Deutsche etwas vermissen. Oder er fand, es wäre einer solchen deutsch-schwedischen Begegnung angemessen.

Ich sage Ihnen jetzt mal etwas, Schmoll, Sie zwingen mich, mich an früher zu erinnern. Da war das nämlich genauso. Wenn man sich mit russischen Komsomolzen unterhalten hat. Da hat man das Gespräch auch nur den Klischees angepaßt. Immer dieselben auswendig gelernten Phrasen, weil einer nichts anderes beigebracht wurde, weil das eigene Vokabular gar nicht entwickelt war, aber auf diese Weise hat man nie erfahren, was bei denen wirklich so ablief. Auf diese Weise erfährt man nichts.«

»Aber kann doch sein«, sagte ich.

Siri sah mich an. »Also gut. Mal angenommen, es war so. Dann habe ich den Jungen jetzt ja befreit, oder? Ich habe das Haus gekauft.«

»Ja«, sagte ich, längst nicht mehr sicher, ernüchtert, auch der seltsame Ton war verschwunden.

»Er ist nämlich ganz unbeschwert«, sagte Siri vorwurfsvoll.

»Ja. Natürlich ist er das. Und wahrscheinlich ist dieser Erik auch gar nicht alt genug. Um das erlebt zu haben. Ich meine, der ist höchstens sechzig, das käme gar nicht hin.«

Sie lächelte.

»Das ist egal, Schmoll.«

Sie schien sich zu beruhigen.

Schmal stand sie unter den Dachsparren. Der rechte Träger ihres Kleides war über die Schulter heruntergerutscht, sie fror, von draußen war das Echo eines Motorbootes zu hören.

Sie kam näher, sie streckte die Hand aus, das Motorboot verschwand in südlicher Richtung, vielleicht war es Uwe, der einer neuen Gore-tex-Mannschaft den Standortvorteil zeigte, oder sie suchten jetzt mit dem Motorboot nach mir.

Sie berührte mein Gesicht.

Es fühlte sich an, als wäre mein Gesicht vorher nicht dagewesen.

»Solange man seinen Geschichten traut, ist das egal.« Sie strich mir mit der Hand über den Hals. »Ihr Hemd«, sagte sie leise. »Mir gefällt Ihr Hemd.« Sie legte mir die Hand flach an die Brust.

»Es ist sein Hemd, wußten Sie das? Es gehört zu ihm. Darf sie auch das, was darunter ist, sehen? Und anfassen. Darf sie es anfassen? Aber nicht bewegen. Sie braucht ein bißchen, um sich an ihn zu gewöhnen.«

Sie knöpfte mir das Hemd auf.

»Sie sind schön. Sie haben den Körper einer Frau«, sagte sie. »Aber Sie sind ein Junge.« Sie lachte. »Ich kann ihn deutlich sehen. Hier«, sagte sie und tippte auf meine Schulter. »Und hier.« Sie nahm meine Hand, sie fuhr mit der Zunge über mein Handgelenk. »Und hier erst, das ist ja erstaunlich! Gucken Sie sich diese Arme an. Und die Augen! In Ihren Augen nehme ich ihn ganz deutlich wahr.«

Sie war dicht an meinem Ohr, als sie sagte: »Ich weiß genau, wie er aussieht. Sein verwuscheltes blondes Haar, manchmal knickt er beim Laufen in den Knien ein, das hat er sich angewöhnt, wahrscheinlich war ihm das normale Laufen zu langweilig.«

Ich zog das Hemd zu, um meine Brüste zu verbergen.

»Nein«, sagte sie. »Lassen Sie das auf. Bitte.«

»Stören sie nicht?«

»Was Sie sich immer so denken! Als würde *das* eine Rolle spielen.«

Sie nahm meine Hand weg, und das Hemd rutschte wieder auseinander.

Ich stand unter diesem verfallenen Dach, in diesem wie eingefrorenen Haus, in einem blaugestreiften Hemd und war froh, ihn zu haben, Schmoll, diesen Jungen, der noch nie mit einer Frau geschlafen hatte.

»Noch nie?« fragte ich, und sie nickte.

»Niemals. Und Sie werden es auch nie wieder tun.«

»Aber ich kann wiederkommen. Im Camp vermissen sie mich sowieso nicht.«

»Er ist immer das erste und das letzte Mal«, sagte sie. »Sonst müßte es ihn nicht geben. Ihn nicht und Sie auch nicht. Das haben Sie doch jetzt verstanden?«

Sie schlang die Arme um ihren Körper, über die Lük-ken im Dach zogen Möwen.

»Oder gefällt es Ihnen nicht?«

»Doch.«

»Er ist noch jung, wissen Sie, er wird sich noch nicht richtig trauen.«

Langsam zog er das Samtband aus ihrem Haar, er machte ihr die Haare auf.

»Schwer zu glauben.«

»Warum?« Sie drehte sich nicht um. »Sie spüren ihn doch. Warum wollen Sie das nicht glauben?«

»Es kommt ihm vor«, sagte ich leise und um seine Stimme auszuprobieren, »als würde er alles verstehen. Er versteht es, solange sie zu ihm spricht.«

Sie mußte nur weitersprechen, ich mußte sprechen, Hauptsache, die Stimmen wären zu hören in diesem hohen Gewölbe aus Dachsparren und Möwen und Him-mel. Sobald wir redeten, war er deutlicher als ich.

Er wußte nicht, wohin mit dem Haarband, und streifte es sich übers Handgelenk.

In der Ferne bewegtes Licht. Ein Boot. Vielleicht nur Blitze, gespiegelt im See. Es begann zu regnen.

Dann küßte er sie.

Er küßte sie, und sie war klein und schmiegte sich an, und beinahe wäre noch einmal ein vorgeprägtes Bild in den Kopf geraten, aber der Junge wußte von diesen Bildern nichts. Der Junge wußte nur, daß er bei ihr war und ihre Taille umfaßte und ihm seine Hände schwer vorkamen.

»Ich möchte, daß Sie sich auf den Rücken legen«, sag-te sie leise. Sie faßte in meine Haare. »Legen Sie sich hin. Schlafen Sie. Der Schlaf wird uns retten.«

Sie schob mich an den Rand der Matratze. Er blieb sitzen mit den Händen im Schoß wie ein Musterschüler, bis sie die Flechte an seiner Schläfe entdeckte und küßte und seine Hände nahm. Sie legte sie sich auf die Brüste. Er zuckte, aber er wich nicht zurück.

»Schmoll. Lieben Sie mich.«

Sie ließ mich meine Hose öffnen und ausziehen, die Socken, das Hemd, sie beobachtete mich.

Dann drückte sie mich auf die Matratze.

Das Licht ringsum wurde grau. Es verschlierte wie im Kopf eines Betrunkenen, dem nur noch ein Rest von Bewußtsein geblieben war.

»Schließen Sie die Augen.«

Sie ließ mich warten. Dann war wieder ihre Stimme zu hören, nah. Ruhig.

Sie sagte, daß er sie jetzt haben dürfe. Sie sagte, sie wisse, wie schwierig es für ihn sei. Daß er niemandem traue. Aber sie gehöre jetzt ihm.

Sie sagte, es sei jetzt soweit. Es werde jetzt für immer sein.

Sie sagte, sie streife sich die Träger von den Schultern.

Das Kleid falle zu Boden, unter dem Kleid sei sie nackt. Sie sagte, sie begehre ihn. Sie fürchte ihn.

Sie sagte, noch betrachte er sie.

»Betrachtet er sie verunsichert?«

»Er betrachtet sie als die erste, die ihn je berührt.«

»Und wie ist das?«

»Sie haben aber auch wirklich keine Ahnung«, flüsterte sie.

Sie hatte recht. Ich hatte keine Ahnung. Nicht mal eine Phantasie. Ich war kein romantischer Teenager gewesen, ich hatte mir nicht eingeredet, den ersten Menschen, der mich berührte, auf andere Weise zu lieben als alle, die folgten.

Ich hatte dieses Alter mit Tischtennisspielen und Handballtraining übersprungen. Ich war wachsam gewesen, *auf der Höhe*, wie Svenja sagen würde, ich hatte mich nicht klein machen und einem straffen Mopedfahrer an die Seite stellen lassen, jedenfalls nicht mehr nach einem ersten Übungskuß; ich ließ meine halbwüchsigen Brüder mit meinem Moped fahren.

Ich war jetzt in einem Alter, in dem ich nie gewesen war. Vielleicht waren wir beide dort. Siri und ich.

Es hatte mit Unschuld zu tun.

Sie sagte, sie komme ihm entgegen. Sie neige sich ihm zu. Sie sagte, ihre Hände lägen jetzt auf ihm. Sie spüre den Umrissen seines Körpers nach. Sie fasse ihn an.

Und die Frage war, ob der Junge meinen Körper veränderte oder ob es eine Veränderung im Körper war, auf die ich wie ein Junge reagierte.

Dann gab es keine Fragen mehr. Dann dachte ich nur noch an ihre aufregende, glatte, an ihre weiche Haut.

Ich sagte, er umarme sie. Er streiche ihr das Haar aus dem Gesicht und ziehe sie an sich. Ich sagte, es überrasche ihn, wie nachgiebig sie sei. Es errege ihn. Die Laute, die seine Hände aus ihr hervortreiben, erregen ihn.

Ich sagte, er gleite mit seinen Fingern über ihre Schenkel. Es mache ihn wütend, wie schnell sie sich ihm öffne, er sehe sich schon als einer von vielen.

Sie lehnte ihren Kopf zurück.

»Das muß er nicht.«

Ich sagte, er habe es auch bereits wieder vergessen. Er fasse ihre Hüften an. Er berühre sie, er berühre ihren Bauch, ihre Scham. Er könne jetzt nicht mehr warten.

Er mache die Augen zu, und er mache sie wieder auf und sei froh über die Dunkelheit.

»Mehr.«

Es war dunkel bis auf ihren Körper.

Ich sagte, er berühre sie noch einmal, um sie sich zu merken. Um nicht beim nächsten Mal wieder dazustehen und keine Ahnung zu haben. Damit sie dann nicht denke: Was ist denn das für einer, ich habe es ihm doch deutlich gezeigt!

Die Befriedigung der beiden war abrupt; meine eigene dagegen verzögert, zeitversetzt.

Auch das hatte mit Unschuld zu tun. Als entstünde Unschuld erst, nachdem man genug gesehen hat.

Auf der Rückfahrt war es immer noch Nacht. Ich wollte ins Camp. Ich wollte noch einmal dorthin. Ich hatte das schnell entschieden, wie alles an diesem Tag schnell und unbeabsichtigt und zusammenhanglos passieren würde und darin dem bereits Geschehenen nicht unähnlich war.

Ich wollte meine Sachen holen, solange alle noch schliefen. Ich wollte den Rest des Sommers hier, bei ihr, in diesem Haus verbringen.

Wir glitten hinaus auf den See, sie wollte unbedingt mit. Sie sagte, das sei eine Verpflichtung, das müsse sie tun. Der Junge könne, bevor die Nacht zu Ende sei, nicht allein gelassen werden.

Während wir paddelten, spürte ich die Entfernung, die entstanden war.

Ich war entfernt von der aggressiven Langeweile in Halberstadt, vom Gedanken an ein verlorenes Monatsgehalt, einen verpatzten Sommerjob und die hohlen

Sprüche der Arbeitsagentur, ich hatte mich verabschiedet, was mich beunruhigte und erlöste, und ich dachte daran, wie ich dastehen würde vor den anderen. Die nicht daran erinnert werden wollten, wie sie lebten, abgeschrieben, ausrangiert, als menschlicher Rest, der kurz vorm Abriß stand, die sich nicht entfernen konnten, die sich nicht verabschiedeten, sondern es vorzogen, sich dafür schamlos aneinander zu rächen; Verrückte in einem verrückten Muster, das sie am Ende selber waren.

Ich war weg. Verschwunden. Abgetaucht.

Zurückgeblieben war der Junge.

Der mit ihr sprach.

Der ihr beschrieb, wie es nach dieser Nacht sein würde, danach, wenn es stimmte, was sie gesagt hatte: Es ist immer das erste Mal.

»Er wird nicht denken, daß er alles geträumt hat. Das nicht. Dann hätte er keine Probleme mit dem Verstehen. Dann wäre er bloß aufgewacht.«

Es war still bis auf das Geräusch, das die Paddel machten, bis auf den See und die Tiere am Ufer.

»So aber wacht er auf und geht die Treppe hoch und steht am Fenster«, sagte sie. »Neben dem Schrank, vor der Matratze. Vielleicht vergehen so die Stunden. Er merkt nicht, daß es dunkel wird. Er kann ja alles deutlich sehen. Er sieht die Matratze.«

»– und wie sie daliegt«, sagte ich. Der See war glatt und in der Ferne grün, es wurde Morgen. »Er wird es nicht aushalten, sie zu sehen in diesem Raum, unter dem schiefen Dachgebälk, neben dem hüfthohen Tisch.«

»Aber er sieht sie, er sieht sie an?«

»Er sieht sie daliegen. Wie sie den Kopf zurückgebogen hat, das Haar lang über der Schulter.« Die Luft über dem See war feucht, sie roch nach Holz und verloschenem Feuer und schwach nach dem Öl aus den Bootsmotoren.

»Und er weiß auch«, sagte sie und tauchte das Paddel ein, »während er sie so sieht, wie sich das anfühlt, dort, wo er sie berührt hat –«

»– und wie sie die Kehle entblößt«, sagte ich, ohne noch zu wissen, daß wir redeten. Sie saß nur eine Bootslänge weit weg von mir, wir waren allein auf dem See, zwei Nachtgestalten, deren Schatten auf dem Wasser einander ähnlich waren, während sich zwei andere, ungleichere, entferntere irgendwo berührten. »Wie sie ihm die Hände in die Hose schiebt«, sagte ich, »in die Gesäßtaschen seiner Hose, um ihn noch enger zu haben, bis er denkt, gleich verschwindet sie in der Matratze, dann ist sie nicht mehr da, und er muß sich leichter machen auf ihr, weil er plötzlich Angst hat, oder war sie das, die gesagt hat, sie hätte Angst, oder war es doch auch seine Angst davor, daß er sie am Ende noch unsichtbar machte, daß er selbst wieder unsichtbar würde –«

»Ich weiß«, sagte sie. »Ich weiß.«

Ralf hatte auf uns gewartet.

Man konnte ihn gut und von weitem erkennen. Er mußte die ganze Nacht am Ufer verbracht haben. Er stand aufrecht da, ein schwarzer kompakter Block links vom Steg.

Er stolperte ins Wasser, als wir näher kamen. Er packte das Kanu. Er schleuderte es am Bug herum. Das Boot legte sich langsam auf die Seite, ich konnte zusehen, wie das Wasser näher kam, wie ich herausfiel aus der letzten Nacht.

Das Licht kam schnell über den Horizont, es stand wie ein Vorhang hinter dem Wald.

»Was von Lagerordnung gehört?« Für Sekunden tauchte ich ab, das Kanu lag auf der Seite. »Wird alles noch 'n Nachspiel haben, das sag ich euch! Alles.« Er hieb eine Flasche aufs Wasser. Wir standen hüfttief im See, Siri nahm unter Wasser meine Hand.

»Du glaubst, du bist 'ne ganz Spezielle, wa? Sondermodell. Und die da? Dein Flittchen?«

»Schmoll, sagen Sie ihm, er hat recht.«

»Schmoll! Schmoll! Na komm schon, sag's mir! Sag's mir doch.«

Ich rief: »Verpiß dich!«

Wie ein Torso ragte Ralf aus dem Wasser auf.

»Du«, sagte er. Siris Hände umfaßten meine Hüfte. Der Junge spannte die Muskeln an, sonst spürte ich nichts, keine Angst. »Du hältst uns wohl alle für bekloppt. Mit deiner, mit deiner – Aber ich hab's gelernt, mein Einmaleins, das sag ich dir, bis zum Umfallen, das nimmt mir niemand weg, auch du nicht, du denkst, du kannst dich da reindrängeln, du denkst, ich mach dir einfach so Platz, aber Pustekuchen. Scheiß Ellenbogen*society*.« Er schob sich schlingernd auf uns zu. »Was willst du mir eigentlich beweisen. Ausgerechnet du. Daß ich ausgedient habe? Abgehalftert? Issa aber nicht. Noch lange nicht, hier kann nämlich nicht jeder machen, wassa will, klar? Nicht mit mir. Also los, raus jetzt hier, raus aus diesem Dreckswasser –«

Es war sechs Uhr morgens, vielleicht wurden die Dauercamper wach, Ralf mußte weit über den See hin zu hören sein. »Haben beide Titten«, sagte er, »haben sie beide, aber nur Spaß, alles nur Spaß heute, keine Hal-

tung, nur Titten. Hat sie Titten, die Kleine?« schrie er.
»Zeig sie mir, los, beweisen! Rausholen! Abmarsch. Aber
nein!« sagte er zu sich. »Alles nur Spaß. Alles nur – Hey!
Komm her. Bring sie rüber, deine Kleine, ich zeig's dir,
Schmoll, ich mach's dir vor, ich zeig dir, wie man da ran-
geht, ich zeig dir einen echten Ritt, eine Granate –«

Das Wasser war schwer, es hielt mich am Boden, ich
wußte nicht, wie ich so schnell an ihn herangekommen
war, ich traf ihn im Gesicht, im Magen, wie wir ans Ufer
gelangt sind, ich hörte zwei, die sich prügelten, stille
Schläge, kein Wort, der Junge holte aus und sprang und
winkelte die Arme an, er duckte sich und ging erneut
los, blindwütig, seine Unterlippe begann zu bluten. Er
schwitzte. Es war seine Gelegenheit. Er bekam einiges
ab, aber das steckte er weg, er wischte einfach mit dem
Handrücken darüber, bevor er wieder ausholte und zu-
langte, er blieb dran. Er hielt fest an dem, was sie hatten
und was jetzt in den Schmutz gezogen worden war. Ich
hörte ihn und den anderen und spürte nichts, erst später
dann Schmerz in den Knöcheln, im Kiefer und irgendwo
im Unterleib, in der Ferne zog ein Gewitter auf.

Aber da kniete Ralf schon mit erhobenen Händen im Sand. Er hatte viel mehr getrunken als ich. Er
schwankte.

Er lehnte sich gegen mich. Er umklammerte meine
Hüfte. Er preßte sein Gesicht an meine Hose.

Er vergrub sich in mir.

Das Gewitter stand deutlich am Horizont.

»Hübscher kleiner Arsch«, flüsterte er. »Hübscher
kleiner Arsch, aber so versaut, so –«

Ich drückte ihn weg. Seine Zähne schlugen mir gegen
die Fingerknöchel. Dann gaben seine Hände nach, sie

rutschten ab. Sein Nacken geriet ins frühe Licht, aufgerichtete, kleine Härchen, er sackte zusammen. Ich stieß ihn heftig von mir.

Er fiel nach hinten und schlug auf.

»Das reicht nicht, Schmoll«, sagte sie.

»Reicht das als Beweis«, sagte ich zu ihm, er lag auf dem Rücken. »Ob das reicht.«

»Gießen Sie ihm Schnaps über den Kopf«, sagte sie, »dann wird er wieder wach.«

Ihr Gesicht war grau im Schlagschatten der Bäume. Sie sah auf ihn herunter. In der Ferne rollten die ersten Donner an. Ich schob meinen Fuß unter seine Hüfte, er kippte ein wenig zur Seite, fiel dann zurück.

»Der hat genug. Der kann nicht mal mehr krauchen.« Ich bückte mich, die Hand immer noch zur Faust geballt, eine Jungsfaust im Magen, das hätte er nicht gedacht, *der mit seiner Muckiprotzerei*, wie der Junge bei nächster Gelegenheit sagen würde, *ein paar Schläge, ein simples K.O.*, ich aber erinnerte mich an Schritte auf Kies, an eine Taschenlampe, ein T-Shirt in Berührung mit meinem Mund, Reste von Licht, ich hatte seinen Körper schon einmal so vor mir gehabt, ich oder der Junge. Und dann dachte ich: genau das. Der Junge. Das hatte Ralf gewollt.

In jener Nacht im Tipi.

Er wollte nicht mich. Er wollte den Jungen.

Ich sah Siri an und war jetzt ganz wach und eindeutig, und der Junge war irgendwo außerhalb von mir.

»Sie schwitzen«, sagte sie.

»Ja.«

Ralf war nicht meinetwegen ins Tipi gekommen. Wäre es um mich gegangen, hätte er das viel früher hinter sich gebracht. Das war für einen wie ihn kein Problem, *bei Hoheitsrechten*, hatte er irgendwann gesagt, *wird nicht lange gefackelt*, da ging es um Herrschaft, um gewissermaßen angeborenes Eigentum.

Der Junge hatte ihn erregt. Er hatte ihn zuerst am Feuer gesehen, und die schlanken Schultern, das schmale Gesicht, das im Flackern weich und unverbraucht aussah, die Bewegungen, die noch nicht eingespielt waren, das hatte ihn aufgewühlt. Er begehrte diesen Jungen in jener Nacht. Er lag wach. Er wartete. Und als es Morgen wurde und ihn der Gedanke an den Jungen noch immer quälte, stand er wieder auf. Er war hinüber zum Waschplatz gegangen. Er hatte sich rasiert, bevor er ins Tipi kam.

Mit mir wäre Ralf leicht fertig geworden, er war stärker und schwerer als ich. Aber er hatte versucht, zärtlich zu sein, und es war mißglückt. Es hatte ein vorsichtiges Rendezvous werden sollen, er hatte bloß nicht gewußt, wie.

So, wie jetzt, als er sich betrunken in meiner Hose vergrub. Es war der Junge, den er anziehend fand, erregend, nicht freiwillig, nicht auf eine bewußte Art, sondern den er gewissermaßen roch, *ich bin ja auch nur ein Tier*.

Wir standen in der Nähe der Straße nach Lennartsfors.

Ralfs T-Shirt war zerrissen. Noch war niemand wach.

Damals hatte ich seinen Körper genauso vor mir gehabt, ungefährlich ausgestreckt. Nur diesmal war der Puls nicht zu finden. Ich suchte am Handgelenk. Ich suchte am Hals. Ich fühlte seine nasse, warme Haut.

Vorsichtig legte ich die Hand auf seine Brust, ich fand keinen Herzschlag. Unter dem Kopf wuchs eine Lache. Er mußte auf einen Stein gefallen sein, auf eine Felskante,

Mund-zu-Mund-Beatmung kam nicht in Betracht, ich hätte auch gar nicht gewußt, wie.

Siri beobachtete mich.

»Wenn es regnet und der hier liegenbleibt, spült der Schlamm ihn am Ende in den See.« Sie starrte auf ihn herab, ihre Arme hingen beidseitig an ihrem Körper wie Holzpflöcke, an den Schultern verschraubt. Ihr mußte kalt sein, das Kleid war naß vom Sturz in den See, ich dachte an meine eigenen Klamotten, ich schwitzte.

»Niemand braucht eine Biographie«, sagte ich zusammenhanglos.

Sie sagte nichts, den Blick auf den am Boden liegenden Mann gerichtet, auf Ralf, es war egal, wie er hieß, er ging uns nichts an.

»Biographien sind was für stumpfe Leute.«

Sie ließ den Kopf gegen meine Schulter fallen, übergangslos und schwer.

»Deine wirst du mir auch nicht erzählen.«

»Es gibt nichts zu erzählen.«

»Mußt du auch nicht«, sagte ich. »Um sich zu verlieben, braucht man erst recht keine.« Die Spitzen der Bäume waren sehr weit oben, sehr dicht an den Wolken am Horizont.

»Sie haben recht, Schmoll«, flüsterte sie, »Sie haben schon immer recht gehabt.«

Sie strich mir über den Arm, sie sah irgendwohin, ihre Hand war eisig.

»Laß uns hochgehen. Dir ist kalt.«

»Und was machen wir mit ihm? Wir können ihn nicht mitnehmen«, sagte sie. »Aber wenn er hier liegenbleibt, wird er sich erkälten.«

»Der kommt schon klar«, sagte ich. »Und du kriegst

einen Pullover von mir und heißen Tee, und die anderen sollen die Schnauze halten.«

Es verging Zeit. Der See blähte sich in der Ferne.

»Schmoll«, sagte sie dann. »Ich glaube – Gucken Sie mal. Er atmet nicht.«

»Oder zwei. Du kannst auch zwei Pullover von mir haben.«

»Schön«, sagte sie. Ich hielt ihre Hand, ich hielt sie fest, ich hätte sie gern davongezogen, aber sie stand und sah auf den Mann. »Das ist der Beweis, wissen Sie. Ich glaube nämlich, daß er tot ist. Und das ist der Beweis.«

Sie sollte nicht auf diesen Mann sehen. Sie sollte nicht hinsehen und es nicht sagen, so leichthin, sie durfte es nicht aussprechen. Hätte sie nur noch ein Wort gesagt, ich hätte ihr die Hand auf den Mund gelegt, sehr fest, und sie gehalten, an mich gedrückt, und dann hätte ich sie mitgenommen ins Camp mit dieser auf den Mund gelegten Hand, und alles wäre so gekommen, wie wir es geplant hatten, ich hätte heimlich meine Sachen gepackt, das Zelt einstürzen lassen hinter mir, den Fußball mit Wucht in Richtung Müll getreten und wäre für immer gegangen, den Zufahrtsweg hinunter, über den Strand, und erst im Boot, weit draußen, wo die Landspitze auf den Foxen traf, hätte ich ihren Mund freigegeben und sie geküßt. Ich fühlte meine Finger. Sie waren steif.

Und ich wußte es. Ralf hatte auf den Jungen reagiert, und der Junge reagierte auf Ralf, und beides war nicht rückgängig zu machen.

»Sie könnten sagen, daß ich das war«, sagte Siri. Sie nahm den Kopf von meiner Schulter, sie zog an ihrem Kleid, das naß und eng an ihren Schenkeln lag. »Schmoll?« Sie sah mich an, sie berührte meinen Arm.

»Hör auf! Es ist nicht deine Schuld. Aber hör auf mit diesem *Schmoll*.«

»Wir könnten sagen, er ist ausgerutscht.«

»Hör auf damit. Schluß jetzt. Red einmal einen normalen Satz. Versuch's einfach. Es reicht.«

»Er ist ausgerutscht, sehen Sie? Da. Man sieht sogar die Spuren. Unter seinem Kopf, da ist doch auch die Gehwegkante.«

»Es gibt hier keine Gehwege.«

»Wir sagen, er war betrunken, er ist hingefallen.«

»Nein. Ich habe ihn erledigt, kaltgemacht. Ich habe ihn getötet. Das werden wir sagen, daß ich ihn getötet habe«, sagte ich. »Das war ich. Ist dir das klar?«

»Schmoll, Lieber!«

»Abserviert. Eiskalt. Das hab ich gemacht.«

»Sie haben sich gewehrt.«

»Totschlag. Vor Gericht wäre das Totschlag.«

»Ich werde sagen, er hat uns überfallen.«

»Wenn ich Glück habe«, sagte ich.

»Es war Notwehr. Und das werde ich ihnen sagen.«

»Du wirst ihnen das sagen. Ausgerechnet. Was hast du hier eigentlich zu suchen. Das ist Privatgelände. Das hast du doch gehört.«

»Schmoll?« Sie tippte mich an. »Schmoll, hören Sie mal. Die finden Sie nie. Da brauchen Sie keine Angst zu haben. Wie sollen die Sie denn finden? Ich werde denen nämlich nicht sagen, wo Sie sind.«

»Hast du's immer noch nicht kapiert?«

»Doch.« Sie war ernst. »Das ist der Beweis Ihrer Existenz.«

»Das ist was?«

»Der Beweis, daß Sie da sind. Daß es Sie gibt. Aber das

wissen nur wir beide! Und jetzt haben Sie nicht solche Angst. Wie sollen die Sie denn entdecken?«

»Das kann doch nicht wahr sein.« Ich bückte mich und faßte nach Ralfs Stirn, ich hielt meine Hand vor seinen halboffenen Mund, ich hielt sie da eine ganze Weile und stellte mir vor, ich würde einen winzigen Luftzug, eine kleine Bewegung spüren, *ich bin seine Tochter und verlasse ihn nicht wegen ein paar Bananen mehr*, ich spürte sie tatsächlich. Aber dann sah ich, daß es Wind war, der durch die Gräser rechts, durch die Farne und die abgeernteten Heidelbeerbüsche ging und über meine Hand. Wind, der nach oben wirbelte und im Licht zwischen den Baumblättern zerfiel. »Merkst du nicht, daß du Schwachsinn redest?«

»Was genau?«

»Ist das eine ernsthafte Frage? Willst du mich darüber ausfragen? Jetzt?«

»Nein«, sagte sie. »Nein!«

»Es hat dir doch gefallen, mich zu küssen, oder? Hat es dir gefallen?«

»Sehr.«

»Was hat dir am meisten gefallen? Daß du eine Mörderin küßt?«

»Schmoll. Bleiben Sie doch mal stehen. Bitte. Lassen Sie uns für eine Sekunde ans Ufer setzen, nur für eine. Dann sag ich Ihnen, wie wir das machen. Noch ist ja niemand wach.«

»Das gibt's doch nicht«, sagte ich. »Das gibt's doch einfach nicht. Du redest wie eine Fünfjährige. Warum hab ich das nicht verstanden. Du redest mir die ganze Zeit diesen Schwachsinn ein, und ich merk's nicht. Ich merke es einfach nicht. Ich hör mir das alles auch noch an!«

»Bitte. Sie müssen mitkommen. Kommen Sie mit mir zurück. Das ist alles nicht so schlimm.«

Aber ich konnte nicht. Ich hörte nicht auf, ich sagte, *das gibt's doch nicht, das gibt's einfach nicht, das ist nicht wahr,* es war ein Mechanismus, den ihre Anwesenheit, ihr schüchternes Insistieren noch verstärkte, ich sah ihre dünne, von Wasser und Kälte blau gefärbte Haut, ihre Augen, die mich zuerst erstaunt und dann hilflos ansahen, mit diesem nach innen gerichteten Schmerz, und wo war der Junge, wo verdammt noch mal war der Junge, ich spürte nichts, ich spürte, wie sie sich zusammenzog, wie sie sich verkroch und von mir Abstand nahm, und immer noch mal die Hand ausstreckte und mich verfehlte, ich hörte nicht auf zu reden, ich konnte nicht. Ich redete. Aber ich redete jetzt gegen sie und gegen mich und den Jungen.

Gegen die Nacht und die Nächte davor und alle, in denen ich jemals wach gelegen hatte, und gegen den Körper, an dem sie vor ein paar Stunden noch geschlafen hatte, ich redete gegen ein Nachlassen der Panik an. Ich wußte genau, was ich tat. Ich wußte, die Panik würde größer werden, je mehr Abstand Siri von mir nahm. Ich redete, um zu atmen, um diesen Körper im Schlamm nicht mehr zu sehen, ihn verschwinden zu lassen, ohne zu wissen, wie, und hätte gern alles rückgängig gemacht.

Ralf. Wie er dalag. Wie er zwischen uns lag, sein Kopf unnatürlich verrenkt.

Nach einer Weile sagte sie:

»Heben Sie den Pullover für mich auf, Schmoll, ja. Heben Sie ihn gut auf. Für irgendwann.« Sie sprach in die Ferne, und sie sah aus, als wäre sie schon dort, als ginge sie langsam bereits von mir weg, das war in ihrem Gesicht, in ihrer Haltung, im Körper.

»In Ordnung«, sagte ich. »Ich heb ihn auf. Aber laß uns hier nicht länger so rumstehen. Wir müssen jetzt aufhören damit, verstehst du? Wir müssen damit aufhören.«

Sie lächelte.

»Macht es dir was aus, zu Fuß zurückzugehen?«

Sie lächelte irgendwohin, hinüber ans andere Ende des Sees, wo sich nichts mehr bewegte. Der Wind hatte sich gelegt.

Es geht nicht um Gerechtigkeit, meine Liebe, sondern darum, einen guten Eindruck zu machen. Das war es, was Svenja abends und außer Hörweite der anderen sagte. *Ralf hat die Kohle geklaut. Noch Fragen? Dich brauchen wir hier schließlich noch.*

Das war es auch, was sie Uwe am nächsten Morgen gesagt hatte, als er aufgewacht und über den Grasplatz zum Duschen gegangen war. »Komm«, sagte Svenja, »einer, der gedient hat bei euch? Logisch läuft da was nicht rund! Wer soll es denn sonst gewesen sein?«

Ähnliche Gerüchte hatten schon seit dem Abend kursiert, und Uwe fühlte sich bestätigt und wollte sofort eine Durchsuchung starten, *und wenn ihr ihn bis auf die Unterhosen filzt*, was aber im Angesicht des Todes selbst ihm dann zu heikel geworden war.

Ich blieb abseits. Ich hatte meinen Posten im Geräteschuppen zurückbekommen. Ich hockte auf einem Schemel an der Wand. Es roch nach Gummi und feuchtem Stoff, durch die Ritzen im Holz konnte ich die anderen durchs Camp laufen sehen. Kam jemand zu nah, wurden die Ritzen dunkel.

Ich wußte nicht, was ich tun sollte.

Nüchtern betrachtet, hatte Ralf uns angegriffen, wir hatten uns gewehrt, und dann war ein Unglück passiert, das war alles. Wir, dachte ich.

Und dann war ich mir nicht mehr so sicher, denn vielleicht war es doch anders gewesen.

Vielleicht hatte ich unbewußt an Wiedergutmachung geglaubt, und dann hatte der Zufall mir die Gelegenheit zugespielt, und ich hatte sie genutzt.

Die Leiche wurde nach Deutschland überführt. Ralf war schwer alkoholisiert, als er im See ertrank. So lautete der Bericht. So erfuhr man auch von seiner Tochter, der dieser Bericht in ein Jugendheim zugestellt wurde. Die Adresse des Jugendheims stand auf allen Postkarten, die man bündelweise in Ralfs Trekkingrucksack fand.

Weitere Nachforschungen wurden nicht angestellt. Das Geld blieb verschwunden. Uwe hat niemandem außer Svenja das Juli-Honorar gezahlt.

Die beiden Männer haben kehrtgemacht. Sie nehmen den direkten Weg. Sie finden jetzt problemlos das Haus. Der Sandplatz schimmert, sonst sieht man nichts.

Sie steigt aus dem Auto, sie stolpert im Scheinwerferlicht. Ihr Körperschatten überragt das Dach.

Sie knipst die Taschenlampe an. Sie bewegt sich, als vermute sie in jeder Ecke einen, der ihr auflauern wollte. Die Tür ist angelehnt. Es ist ein Wunder, sagte sie, ein Wunder, daß sie so wenig nachtragend ist, so umstandslos artig, das hat wohl mit dieser Geschichte zu tun, die sie doch irgendwie mitgenommen hat, sagte sie, die sie berührt hat wie eine ausgestreckte Hand, dabei ist das

Haus eine Rumpelkammer, abgestandenes Leben, mit dem sie ihr eigenes ganz bestimmt nicht belasten will. Sie sieht sich alles an, die Strickjacke, die steinernen Kekse, Schallplatten, aus ihren Hüllen gerutscht, ein Löffel betoniert im Zucker.

Dann bemerkt sie einen Schatten, sie bemerkt ihn draußen, tief im Gebüsch, sie erkennt ihn sofort, er duckt sich im Licht des Jaguars weg. Aber die Scheinwerfer suchen ihn, sie jagen ihm nach, sie nageln ihn mit ihrem Licht an die Schuppenwand, ein Junge, vielleicht drei oder vier Jahre alt, in kurzen Hosen und blond, und wer weiß, wo die Mutter ist.

Vielleicht ist das ihr Moment. Vielleicht, sagte sie, muß man bestimmte Geschichten zu Ende bringen. Dabei hat sie damit nicht das geringste zu tun, nichts außer einem Funken Anständigkeit. Sie reißt diesen Jungen an sich, sie zerrt ihn aus dem Licht und fängt an zu laufen. Sie nimmt seine Hand, und sie rennen, vom Dunkel geschützt, die Taschenlampe hat sie jetzt ausgemacht. Man sieht ihre im Mond sich bewegenden Gestalten, eilig hinter den Fenstern, sie stößt die Tür auf, sie rennt über die Wiese, sie rennt panisch zum Wald, die Scheinwerfer des Jaguars folgen ihr.

Das Auto springt an, der Motor wird hochgepeitscht, aber der Waldboden ist uneben und voller Wurzeln und zu weich für einen Jaguar. Das Auto bleibt stecken. Auf dem Sandplatz, neben dem eine Schaukel steht.

Der Motor heult hochtourig ins hereinbrechende Dunkel, in dem sie nicht mehr auszumachen ist.

* * *

Nur ihre Stimme kann ich noch hören, die nach mir fragte, flüsterte, rief.

Es regnet.

Das Haus steht leer. Es sieht aus wie zuvor; alles in wildem Durcheinander verlassen, die Tür ist nur angelehnt. Neben dem Sandplatz der Jaguar. Jaguar oder Buick, das macht keinen Unterschied bei einem Wrack.

Ich sitze am Fenster und höre die Stimme, aber da ist nichts. Seit Tagen. Seit Wochen war niemand mehr hier.

Ich sitze am Fenster und warte und sehe hinaus, und manchmal stelle ich mir vor, daß sie vorher hier gesessen und gewartet und hinausgesehen hat, und ich habe sie bloß ersetzt.

Ich werde mir nicht einreden, daß ich nur träumte. Dann gäbe es keine Probleme mit dem Verstehen. Dann wäre ich bloß aufgewacht. Im Fenster mein eigenes Gesicht, die Stunden vergehen. Ich sitze dann da. Es wird dunkel. Aber ich kann alles deutlich sehen in diesem Raum, unter dem schiefen Dachgebälk, neben dem hüfthohen Tisch.

Die Kerze wirft schwankende Flecken, ich sage:

Sie haben mir Ihren Körper geschenkt.

Sie haben Ihren Körper in Worte gefaßt, und jetzt trage ich ihn mit mir herum.

Sie haben mir nicht gesagt, wie schwierig es wird. Sie haben mich nicht ein bißchen davor gewarnt.

Sie haben ihn vor mich hingelegt und gesagt: Das da. Sie haben ihn mir gezeigt und gesagt: Bitte. Und: Gehen Sie vorsichtig damit um.

Sie haben mir nicht gesagt, wie gefährdet ich bin.

Sie haben das Kleid aufgemacht, ein weißes Kleid, Sie

haben sich das Kleid öffnen lassen von ihm und gesagt: Bitte. Aber fassen Sie mich nicht an. Hören Sie zu.

Es ist Nacht.

Sie haben sich auf meinen Schoß gesetzt. Sie haben mir gezeigt, wie ein Reißverschluß aufgezogen wird und wie man das ernsthaft macht. Sie haben meine Hände gelassen, wo sie waren. Sie haben gesagt, Sie wollen das.

Wie er ihr Kleid hochstreift im Dunkeln. Wie sie sich an ihn drängt.

Sie hat ihm ihren Körper geschenkt und gesagt: Das da. Ziehen Sie das aus.

Es gibt so viele verschiedene Arten, sie auszuziehen. Es gibt soviel auszuziehen. Und jedesmal denkt er, da sei ein Widerstand, so nah darf er nicht an sie heran. Er nicht und niemand.

Es regnet. Es ist Dienstag oder Mittwoch nacht. In der Ferne bewegtes Licht.

Vielleicht sucht sie mich.

Sie hat sich ihm auf den Schoß gesetzt und gesagt: Das da. Fassen Sie das an.

In Ihrem Bett. Auf dem Teppich. Im Zug. Egal wo.

Und er hat Worte wie *verfallen*, *gehören*, *verzehren*, er hat *endgültig* gedacht, es sind seine Worte, er trinkt. Spürt ihre Hände im Gesicht. Öffnet das nächste der zwölf Biere im Karton, ›Lättöl‹, die fast alkoholfrei sind. Trinkt.

Und immer noch dieser Ton. Er ist hoch, dringt in die Handflächen, zieht durch die Haut. Auf einem hohen Ton kann man nicht schlafen. Wenn es dunkel ist, geht er manchmal aus dem Haus. Stellt das Bier zurück in den Karton und flüchtet.

Die Sterne sind blaß. In der Ferne Zikaden.

Aber der Ton bleibt. Er bleibt, solange er zu angestrengt an zuwenig Erinnerung denkt.

Morgen früh werde ich betrunken in den Bus steigen. Das Geld abzählen, danken und nach Hause fahren.

Morgen früh werde ich gehen und die Haustür offenlassen.

Und der Busfahrer wird versuchen, im Rückspiegel mit mir zu flirten.

Ich werde in diesem Bus nach Halberstadt fahren, und in Halberstadt werden meine Brüder Anja zu mir sagen, und ihren bauchgepiercten Freundinnen werden sie erzählen, daß ihre große Schwester ein bißchen gaga aus dem Sommercamp zurückgekommen ist, *klar, war sie vorher schon abgespaced, aber da hatte sie noch irgendwie den Durchblick!*

Und vielleicht werden mich meine Brüder manchmal, verunsichert, *Schmoll* rufen, wenn ich sie darum bitte, und dann ihre Klappe halten, weil wir noch immer Geschwister sind. Sie werden *Schmoll* rufen, und es wird idiotisch sein.

Es wird nachhallen an Stellen, die sie an ihm berührt hat. Die jetzt hohl sind.

Das hat sie ihm nicht gesagt. Wie sehr man noch da ist, wie sehr man noch denkt.

Weshalb er hier auf sie warten muß. Hier, wo sie gesagt hat: Schmoll, behalten Sie mich in Erinnerung. Darauf haben wir ein Recht!

Wenn nicht alles nur erfunden war. Aber sagt man nicht, der Tod sei der letzte Beweis unserer Existenz?

Das wußten sie sogar in Halberstadt, eine Bürgerrechtlerin hatte das am Tag nach dem Mauerfall auf einer

Kundgebung vor dem Rathaus gesagt, aber das ist nicht seine Geschichte. Mit Halberstadt und dem Rathaus hat er nichts zu tun.

Aber wenn es stimmt, was man sagt, kommt sie wieder.

Es ist zuletzt ja ein Toter, der uns verbindet.

Der leblose Körper in der Nähe der Straße nach Lennartsfors. Am Morgen. Die Stille über der Straße. Die matten Augen. Der verkrümmte Arm.

Beweise dafür, daß es sie und ihn, daß es sie beide gegeben hat.

Er öffnet das Fenster und hält die Handflächen in den kalten Wind, die nackten Stellen, damit die äußere Seite der Haut der inneren entspricht.

Es gelingt langsam. Sie hat ihn kein bißchen gewarnt.

Er wird alles so lassen, wie es war. Die Kekse liegen auf dem Tisch, der Deckel der Zuckerdose steht offen.

Er weiß, daß diesen Tagen, in denen sie anwesend war, nichts folgen wird. Nichts außer einem langen Warten. Einem einzigen gleichförmigen Ton, der gemacht ist aus Hitze, dem Flirren der Sonne über Staubfeldern und Erntemaschinen, aus Rissen in der heißen Erde und dem Wunsch, sich aufzulösen, hinein in die kälteren Schichten der Luft.

Ich danke dem Ministerium für Wissenschaft, Forschung und Kultur des Landes Brandenburg und der Villa Aurora, Los Angeles, für die Unterstützung der Arbeit an diesem Roman.

Ich bedanke mich für die hilfreichen Ratschläge und den klaren Blick bei Silvia Bovenschen und bei Zaia Alexander.

Mein Dank gilt außerdem Antje Wagner für ihre Variation zum Thema;

Anregung, Auseinandersetzung, Allusion.